LA PEINTURE HAÏTIENNE

HAITIAN ARTS

Marie-José Nadal-Gardère
documentation/research

Gérald Bloncourt
textes/texts

Élizabeth Bell
traduction/translation

LA PEINTURE HAÏTIENNE

HAITIAN ARTS

nathan

Sommaire/Contents

En couverture : *Au marché*, Jacqueline Nesti.
   Cover : At the market, Jacqueline Nesti.

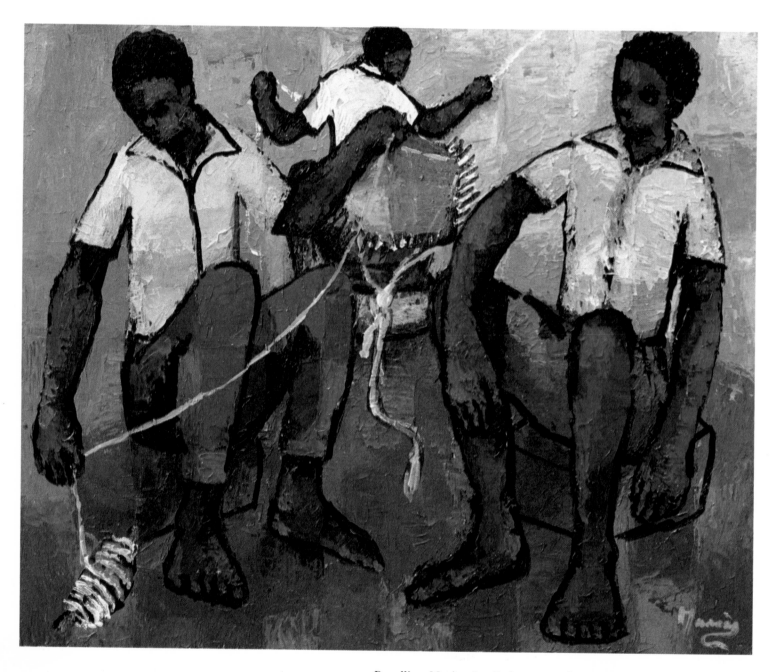

Descollines Manès : Les Enfants. | *Descollines Manès : Children.*

Avant-propos

En hommage à mes parents Lyliane et Joseph Nadal, collectionneurs d'Art haïtien dès 1944 et membres du comité d'honneur du Centre d'art, au sein duquel j'ai pu, depuis mon adolescence, vivre cette extraordinaire aventure de notre art national, ici racontée.

Ma gratitude va également à mon mari Yves Gardère et à mes enfants, sans l'aide et les encouragements desquels cet ouvrage n'aurait probablement pas vu le jour.

Je n'oublie pas non plus Madeleine Paillière dont la compétence et l'amitié m'ont soutenue dès la conception de ce projet.

Que ce livre soit donc un merci infini à tous ceux qui, depuis quarante ans, d'une façon ou d'une autre, ont été à l'origine de ce mouvement artistique. Que soient félicités, avec respect, professeurs, amis, artistes et conseillers du Centre d'art.

Je parlerai en tout premier lieu de Dewitt Peters, mon professeur d'aquarelle, qui m'a appris à tant aimer cette forme d'art.

Il m'a ouvert les portes du Centre et m'a aidée à faire partie de cette grande famille que nous formions de 1944 à 1950.

S'il m'a un jour découragée en me disant que ma peinture n'avait plus rien de « couleur locale », manifestant ainsi sa fascination pour les peintres naïfs qu'il privilégiait par rapport aux peintres modernes, il s'est totalement racheté à mes yeux le jour où, à l'Institut américain de Port-au-Prince, je venais d'obtenir le deuxième prix du Salon Esso pour mon tableau l'Oiseau noir, il est venu à moi, m'embrassant, très fier, disait-il, de son élève.

Hommage aussi à Pierre Monosiet que j'associe toujours au Centre d'art. C'était un être d'élite et « son » musée du collège Saint-Pierre demeure un monument impérissable de l'Art haïtien auquel il a consacré toute sa vie.

Merci à Géo Remponeau qui m'a donné le goût du dessin et m'a aidée à composer « d'après nature ».

Également à Lucien Price qui m'a inculqué l'amour du « trait », de l' « abstraction » et du « rythme ». Si Peters m'a fait aimer l'aquarelle, Price m'a initiée aux rapports mystérieux entre ombres et lumières.

Grâce à leurs enseignements j'ai fait de l'art — dès l'âge de treize ans — un des buts essentiels de ma vie.

Quant à Gérald Bloncourt, il m'a aidée à regarder et voir, à naître à l'Art et m'a transmis son idéal de liberté. Liberté de penser, liberté dans la création, son exigence du travail bien fait ainsi que le besoin de se surpasser toujours pour mieux se transcender.

Notre rencontre, quarante ans après, a été presque miraculeuse. À ma demande, il a bien voulu accepter d'évoquer dans l'introduction à ce livre la naissance du Centre d'art, répondant ainsi aux questions posées par cette fabuleuse explosion de l'Art haïtien.

Oui, nous étions une grande famille où régnait le respect de l'autre et l'entraide. Il n'existait aucune discrimination, aucune mesquinerie.
Je voudrais pourtant éclairer un point d'histoire, afin de répondre à ceux qui ont considéré qu'il y a eu rupture entre le Centre d'art et les « modernes ».
Il est exact que Peters, conseillé notamment par Selden Rodman et d'autres, a accordé davantage d'attention et donné la priorité aux peintres dits « naïfs », ce qui obligea quelques « modernes » à se séparer de lui pour mieux vivre leur modernité. Mais comme dans toutes les familles, il n'y a jamais eu de vraie rupture. Ceux qui ont fondé le Foyer des arts plastiques ont éprouvé le besoin de discuter ailleurs de leurs problèmes et de s'épanouir dans une écriture différente.

L'Art haïtien n'est pas seulement le fait des peintres « naïfs ». C'est un ensemble complexe de créateurs, issus du même creuset, de la même profonde culture, alimentés des mêmes racines, rafraîchis par les mêmes sources.
Le soleil brille pour tous et chacun a sa place à la lumière.

Je rendrai également hommage à l'un des plus grands peintres modernes haïtiens : Antonio Joseph qui a voué sa vie entière au Centre d'art — de 1944 à ce jour. Avec Francine Murat et Cleveland B. Chase il a tout fait pour maintenir très haut le drapeau que nous a légué Peters. C'est à son dévouement que le Centre d'art doit d'être resté le symbole de la vitalité artistique haïtienne.
Dans le même esprit, je vous convie donc à vous promener avec moi au fil des pages, à travers ces œuvres photographiées avec amour par Jean Guéry. Ce sont toutes des œuvres de l'Art haïtien faisant partie de collections haïtiennes.
Que ce choix vous donne envie d'en connaître davantage sur notre pays, son peuple et son Histoire. Avec mes amis peintres, je souhaite qu'à travers les ans nos artistes continuent de vivre côte à côte, que leurs œuvres soient montrées dans tous les musées du monde et qu'ils se donnent la main dans ce grand voyage de la création.

Marie-José NADAL-GARDÈRE

Marie-José Nadal-Gardère, fondatrice, avec sa fille, Madame Michèle Frisch, de la Galerie Marassa.
On aperçoit les toiles de Jean-Claude Legagneur, Henri-Claude Obin, Vincent Nemours et Gesner Armand, que la galerie a beaucoup contribué à faire connaître.

Marie-José Nadal-Gardère, founder, with her daughter, Mrs Michèle Frisch, of the Galerie Marassa.
In the background are paintings by Jean-Claude Legagneur, Henri-Claude Obin, Vincent Nemours and Gesner Armand, all of whom the gallery, helped bring to renown.

Foreword

I dedicate this volume to my parents, Lyliane and Joseph Nadal, collectors of Haitian art since 1944 and members of the Honorary Committee of the Art Center, which witnessed the extraordinary adventure of our national art recounted in this book. I also wish to express my gratitude to my husband, Yves Gardère, and my children, without whose help and encouragement this book would probably never have seen the light of day. Madeleine Paillière encouraged me from the very beginning of the project through her friendship and competence. Gérald Auguste introduced me to Nathan Publishing, which has made the work possible. May this book be a token of my infinite gratitude to Michèle Frisch, Wilhem Frisch, Geneviève McIntosh, Gesner Armand, Sacha Tebo and to each and every one who has been part of this artistic movement in some way for forty years.

Special congratulations are due to the teachers, friends, artists and advisors of the Art Center.
Among them all, I shall speak first of Dewitt Peters, my watercolor instructor, who instilled in me such a deep love for that art form. He opened the Art Center's doors to me and helped me to become part of the great family we formed from 1944 to 1950. He at one time discouraged me by remarking that my painting had lost all its local color, revealing in this coment his new fascination for the naive painters he set above modern artists. But then, he redeemed himself fully in my eyes at the American Institute in Port-au-Prince. I had just received the second prize for my painting « L'oiseau noir » at the Esso Constest, when he came up to me and hugged me, declaring himself very proud of his student.
My thanks to Geo Remponeau who made me appreciate good drawings and helped me learn the « know how » of oil painting.
Equal gratitude to Lucien Price, who inculcated in me the love of "stroke", "abstraction" and "rhythm". If it was Peters who led me to love watercolor, Price initiated me into the mysterious relationships between light and shadow. Thanks to their intruction, art became, one of the essential goals of my life from the age of thirteen.
As for Gérald Bloncourt, he helped me to look, to see, to be born to art, and transmitted to me his ideal of liberty. Freedom of thought, freedom in creation, the need for well-performed work, as well as the need to continually transcend oneself.
Our meeting 40 years later has been almost like a miracle. At my request, he has been kind enough to contribute the introduction to this book on the birth of the Art Center, speaking deeply of the questions raised by this fabulous explosion of Haitian art.

May this book also honor Pierre Monosiet, whom I shall always associate with the Art Center. He was among the finest of men and « his » Museum of Haitian Art at Saint Peter's College remains an imperishable monument to Haitian art, to which he devoted his entire life.

Marie-José NADAL-GARDÈRE

Préface

L'éclosion à la fois brusque et totale de l'Art haïtien ne cesse de susciter une grande interrogation qui demeure encore sans réponse satisfaisante.

On questionne l'Afrique, matrice du mysticisme hérité. On exhume l'audace de la décoration usuelle. Tout cela constitue un enchevêtrement bien fondé. Nul doute que cette nation, mûrie dans la douleur, devait à tout prix exploser sous cette forme transcendante qu'est l'art.

C'est une cassure heureuse dans la trajectoire historique d'un peuple. Une grande sagesse en découle indéniablement. Elle réside au fond de la bonhommie apparente, de la joie de vivre qui s'exprime à travers les chants et la danse.

Taxée de naïveté ou d'inconscience à cause d'une misère physique qui ne l'empêche pas d'être sollicitée par cette nature diversifiée, à la portée de la main, cette sagesse se retrouve dans une forme d'expression non violente, mais combien puissante. C'est paradoxalement la soumission et la révolte surgie au cœur du XXe siècle. Cet art a su renouveler une vision des choses en contournant le goût de l'abstrait et du surréalisme alors en pleine floraison.

Dès la naissance de cet art, André Breton n'eut-il pas à concéder la notoriété à Hector Hyppolite. Et quel hommage retentissant d'André Malraux dans son *Intemporel !*

Bornons-nous donc à ces deux sommités pour ne pas citer une longue liste d'esthètes de toutes nationalités, conquis par le phénomène haïtien.

Il faut dire que l'authenticité, l'abondance de cette forme d'art connue sous l'étiquette de « primitif » ou « naïf » tend à faire négliger la force de créativité que recèle le moyen d'expression dit « moderne » de l'Art haïtien.

En fait les deux tendances, enregistrées sur le même acte de naissance se côtoient avec bonheur comme l'avait vu Dewitt Peters, l'homme qui a su canaliser tous ces talents latents.

Riche d'une histoire qui demeure encore très active, la peinture haïtienne atteint parfois les plus hauts sommets de l'art international.

Cet ouvrage de Marie-José Nadal-Gardère, et Gérald Bloncourt, artistes-témoins eux-mêmes, embrasse complètement le panorama du déroulement de ce mouvement artistique dans sa diversité.

Gesner ARMAND

Gesner Armand : Champs de cannes. | *Gesner Armand, Cane Fields.*

Preface

The dawning of Haitian art, in its suddenness and totality, continues to inspire questions which have as yet no satisfactory answers.

We look to Africa, womb of inherited mysticism, for reply. Or we reexamine the boldness of everyday decoration.

All the elements are decisively intertwined. This nation, ripened in sorrow, needed to explode at any cost through the transcendent form of art. It is a propitious rupture in the historical trajectory of a people. A great wisdom ensues, residing in an evident good-heartedness, a ''joie de vivre'' expressed in singing and dance.

And this wisdom —accused of ''naïveté'' and unconsciousness because of a physical misery, which does not hinder its sensitivity to multi-faceted nature, ever nearby— takes the form of nonviolent though extremely potent expression. It is, paradoxically, both submission and revolt, surging from the heart of the twentieth century. This art was able to promote a new vision of things by circumventing the reigning taste for abstraction and the surreal.

From the earliest days of this art, André Breton was moved to make the name of Hector Hyppolite known to the world. And what a resounding homage from André Malraux in his *l'Intemporel !*

We will limit ourselves here to these two illustrious figures, though we could cite a long list of aesthetes of all nations conquered by the Haitian phenomenon.

It must be said that the authenticity and abundance of that art form labeled "primitive" or "naïve" tends to overshadow the creative force harbored in that mode of Haitian artistic expression termed "modern."

Actually, the two tendencies share a common birth and a peaceful coexistence, as Dewitt Peters, the man who knew how to channel all these latent talents, was well aware.

Blessed with an active, still unfolding history, Haitian painting attains on occasion the highest summits of international art.

This work by Marie-José Nadal-Gardère and Gérald Bloncourt, themselves artists and witnesses, embraces the entire panorama of this artistic movement's diverse development.

Gesner ARMAND

*Il serait impossible
de nos jours de concevoir
une symphonie de l'art haïtien
sans les points d'orgue
qu'Hector Hyppolite
y a inscrits.*

*It would be impossible
to imagine the symphony
of Haïtian art today
without the
crucial notes Hector
Hyppolite contributed to it.*

12

Peuple-peintre ou Haïti-couleur Haïti-douleur

Ô nuit profonde incandescente d'étoiles
n'es-tu pas ce champ où je vais cueillir mes soleils ?

Bernard WAH

Vingt et une heures. Heure d'été.
Nous sommes le 27 juin 1985. Le train à grande vitesse (TGV) vient de passer Valence. Je remonte d'Avignon. Dans deux heures : Paris ! J'ai rendez-vous avec une « petite-fille-grand-peintre » qui hantait les couloirs du Centre d'art à Port-au-Prince, en Haïti. Treize ans en 1944 !... Il y a quarante et un ans !

Le ciel — pourtant de France — étale dans ce crépuscule, toutes les délicatesses d'aquarelle de mon ami Dewitt Peters... Nous nous sommes connus il y a si longtemps... Mais par-delà sa tombe je me souviens encore de ses yeux clairs, de son accent d'Américain du Nord, nimbé de tranquille amitié.

Je dessinais et peignais à cette époque tous les paysages de mon île natale. Vergniaud Pierre-Noël m'avait initié à la gravure et Géo Remponeau m'avait rendu fou de linogravure. À la Compagnie lithographique d'Haïti, j'avais découvert les merveilles de ce procédé d'impression et à *La Phalange* j'avais acquis de sérieuses connaissances d'imprimerie. Les *casses*, la typographie, les linotypes, les « marinoni » n'avaient plus de secret pour moi. J'avais respiré l'odeur des encres et appris à vraiment toucher le papier.
Ce merveilleux papier aux chairs multiples, si tendres ou si rugueuses. Ce papier aux exigences de femme et à la fragilité d'enfant. Ce papier sans lequel l'homme ne serait presque rien.
Avec James Petersen nous avions attaqué la fresque. La vraie, au sable et à la chaux, dans une petite chapelle, non loin de Pétionville, je crois.
Tout m'était arrivé en quelque trois ou quatre ans et je regorgeais de sève créatrice.
Peindre ! était vraiment ma vie. Un besoin impérieux. Une redoutable nécessité.

C'est à cette période que je croisais le chemin de Dewitt.

Comment échapper à son flair ? Il était en quête de tout ce qui bougeait en forme et en couleur.

Nous nous sommes retrouvés à ses côtés, en peu de temps, les Albert Mangonès, Maurice Borno, Raymond Coupeau, Géo Remponeau, Emmanuel Lafond, Daniel Lafontant, James Petersen, Camille Tesserot et moi, pour fonder avec lui le Centre d'art, sous le patronage du département d'État de l'Instruction publique et de l'Institut haïtiano-américain.

C'est là que nous rejoignirent pour la mise en route du bulletin du centre, *Studio n° 3,* Philippe Thoby-Marcelin, Raymond Lavelanette et Lucien Price. Le premier numéro fut publié en novembre 1945.

Vinrent rapidement grossir nos rangs : Tamara Baussan, Andrée Malebranche, Antonio Joseph, Luce Turnier, Marie-José Nadal.

Marie-José exposa pour la première fois à treize ans et demi. Exactement du 16 août au 16 septembre 1944 !

Il est des dates qui gravent la mémoire !

Je la revois encore avec son immense chevelure brune, les mains fines et son regard d'étoiles…

À sa demande j'essaie de remonter près d'un demi-siècle pour retrouver ces premiers moments du Centre d'art.

Je peux dire, sans risque d'erreur, que l'existence du Centre fut le détonateur de cette explosion de la peinture haïtienne, qu'elle fut « naïve » ou plus construite.

C'est grâce au fait que l'on put directement et concrètement aider les peintres populaires en leur fournissant du matériel, en exposant et en faisant vendre leurs œuvres, que se propagea et se développa leur art.

Mais ce que je tiens à affirmer — comme un témoignage de ce que fut l'œuvre-même de Dewitt Peters et de ses collaborateurs qui ne s'entremirent jamais entre les créateurs, leurs techniques et leurs sources d'inspiration — c'est que le peuple haïtien était au plus haut point porteur de son art pictural, enfoui dans sa mémoire africaine, dans ses cicatrices de l'esclavage, dans ses violences libératoires de 1804, dans ses traditions vaudou, dans ses « combites » paysannes, dans le merveilleux de son imaginaire quotidien. Dans ses rythmes et son génie musical. Dans ses légendes. Dans ses contes-rêves, contes des compte à rebours de l'histoire, d'un passé, d'un destin qui projette tel un volcan, laves et nuées ardentes, un Art majeur, ancestral, viscéral et éblouissant.

Pierre Monosiet, conservateur du musée d'Art haïtien du collège de Saint-Pierre, signale dans une chronologie précise qu'entre 1807 et 1818 il y eut une certaine activité artistique encouragée par Henri Christophe, roi d'Haïti et bâtisseur de la citadelle Laferrière.

Entre 1830 et 1860, trente artistes haïtiens, dont certains avaient été formés en France, ont travaillé à Port-au-Prince et au Cap-Haïtien.

Dans ce temps l'empereur Soulouque fonde l'Académie impériale de dessin et de peinture à Port-au-Prince. Entre 1863 et 1867 le président Geffrard fonde une Académie d'art et, vers 1880, Archibald Lochard ouvre une Académie de peinture et de sculpture.

En 1930, l'artiste américain William Scott travaille en Haïti et pousse Pétion Savain à peindre. Un groupe se forme autour de lui, dont certains rejoignent plus tard le Centre d'art.

En 1943, Dewitt Peters arrive en Haïti comme professeur d'anglais, décide de créer un centre pour les arts et prend contact avec Horace Ashton, directeur de l'Institut américano-haïtien qui ouvre une section consacrée aux arts. Plus tard dans l'année, Peters quitte l'Institut.

Castera Bazile nous montre un « combite » (traditionnelle corvée collective des paysans haïtiens) chanté par nos plus grands écrivains tels Jacques Roumain dans « Gouverneur de la Rosée » ou Jacques Stéphen Alexis dans « Compère Général Soleil ».

Here Castera Bazile portrays a "combite" (the traditional occasions for cooperative work observed by Haitian country people) also described by our finest writers, such as Jacques Roumain in "Gouverneur de la Rosée" or Jacques Stephen Alexis in "Compère Général Soleil".

Le 14 mai 1944, c'est l'inauguration du Centre d'art à Port-au-Prince.

Les fondateurs sont Dewitt Peters, Maurice Borno, Albert Mangonès, Raymond Coupeau, Géo Remponeau, Gérald Bloncourt, Raymond Lavelanette, Philippe Thoby-Marcelin.

En mai, Antonio Joseph et Philomé Obin entrent au centre, de même que Rigaud Benoit et Adam Léontus. Puis arrivent Lucien Price, Pierre Paillière, Luce Turnier, Marie-José Nadal, Andrée Naudé et Tamara Baussan.

En février 1945, Philomé Obin envoie au centre sa première œuvre décrivant avec une perspective enfantine, mais avec une précision minutieuse, l'arrivée de Franklin Roosevelt au Cap-Haïtien pour mettre fin à l'occupation américaine vaillamment combattue par le peuple haïtien et ses célèbres « cacos », dont l'un des chefs prestigieux, Charlemagne Péralte, fut crucifié par les « marines » des États-Unis.

Cette découverte fut pour Peters et ses collaborateurs la révélation de la peinture naïve haïtienne qui couvait dans le pays. Ils comprirent qu'il fallait à tout prix la faire connaître et la stimuler.

Dès septembre 1945, s'ouvre au Cap-Haïtien sous la responsabilité de Philomé Obin et Hélène Schomberg un établissement qui regroupe les peintres encore inconnus.

En novembre, Castera Bazile adhère au centre et André Breton qui se rend en Haïti à cette époque écrit au sujet d'Hector Hyppolite — qui a rejoint également le Centre d'art — dans *le Surréalisme et la Peinture*.

Il achète douze toiles d'Hector Hyppolite.

Le voyage d'André Breton, précédé par celui d'Aimé Césaire, est un événement important dans les milieux de l'intelligentsia haïtienne.

Toute la jeunesse étudiante est à ce moment-là réceptive à tout ce qui vient de France. La guerre vient de s'achever en Europe et les représentants de la France-Libre ont eu une intense activité culturelle. Pierre Mabille a fait connaître les grands poètes de la Résistance : Eluard, Aragon, Prévert fascinent les jeunes. Picasso n'est plus sphinx mais créateur, engagé socialement et politiquement.

L'état d'esprit est tel à cette époque qu'il est possible d'accueillir les peintres-paysans au niveau de leur création. Le Cubain Wilfredo Lam expose au Centre d'art. C'est un véritable triomphe.

Les peintres du vaudou, des scènes d'histoire, des rêves incantatoires, ne sont plus regardés comme de timides « balbutieurs », comme de tendres maladroits.

Il est possible de comprendre, comme l'écrit à ce moment Mabille dans *Studio n° 3,* la revue du centre, que : « l'Art représente la lutte de l'homme, son émotion renouvelée, son exigence inassouvie comme son émerveillement d'une fraîcheur toujours neuve ; il est au même titre que la science, usant de disciplines propres, une volonté de découverte ; il vise à la représentation de formes inaperçues, à la révélation de rapports nouveaux, à la transformation de notre pouvoir sensoriel et du contenu de notre imagination.

« Les voies que suit le peintre pour cette conquête, lui sont personnelles. Que la liberté soit laissée au pinceau, et les taches, sur la toile, deviennent traînées d'agate, dégradés de crépuscule, découpages de cavernes. La liberté laissée à la main, et le geste cesse de copier l'objet, pour exprimer l'obsession intérieure. La liberté laissée au cerveau, et les rapports entre les formes et les objets sont remplacés par d'autres, plus émouvants et peut-être plus profondément vrais ; l'espace s'emplit de lignes de forces, d'apparitions ; l'objet réintégré dans son mystère entier, présente la synthèse de sa réalité essentielle, si différente de l'apparence perçue.

« Parmi les formes que le peintre crée, et peut-être ne fait-il que les révéler, certaines acquièrent un pouvoir évocateur singulier et une activité magique.

« La liberté, condition fondamentale de la découverte, ne peut être confondue avec l'abandon, la facilité, la nonchalance paresseuse ; elle doit, au contraire, être une tension extrême de l'artiste, la difficile libération, l'effort de lucidité qui, seul, parvient à briser la chaîne des habitudes, des répétitions, des représentations vulgaires. C'est à ce prix et à ce prix seulement que la peinture, par sa vertu créatrice, contribue à la transformation du monde, en changeant le climat sensible de notre vie et plus intimement, les matériaux de notre pensée et de notre rêve. »

Ce bouillonnement des idées préfigurent les événements de 1946, dont les premiers jours voient l'éclosion des « Cinq Glorieuses » et la chute de Élie Lescot.
Jasmin Joseph, Jacques Enguerrand-Gourgue, Minium Cayemitte, Wilmino Domond, Préfète Duffaut, Sénèque Obin, Micius Stéphane, Robert Saint-Brice, André Pierre, rejoignent le Centre d'art.
En 1949, visite émerveillée de Jean-Paul Sartre.

Aquarelle, de Gérald Bloncourt, datant de 1944.

Watercolor by Gérald Bloncourt, dated 1944.

Une commande de fresques et de sculptures pour la cathédrale de la Sainte-Trinité à Port-au-Prince est passée à Toussaint Auguste, Castera Bazile, Rigaud Benoit, Wilson Bigaud, Préfète Duffaut, Gabriel Lévêque, Philomé Obin et Jasmin Joseph, ce dernier étant sculpteur.

Dès lors, l'Art haïtien éclate dans la vie culturelle nationale et dépasse les frontières du pays. Il est désormais porté sur les fonts baptismaux de l'histoire et reconnu comme l'expression paroxystique de la nation haïtienne. Plus de regards attendris ou condescendants. Le musée d'Art moderne de New York achète *le Meurtre dans la jungle* de Wilson Bigaud. Antonio Joseph reçoit la première bourse Guggenheim accordée à un artiste haïtien. Joseph Hirshorn visite le Centre d'art et achète des toiles haïtiennes.

Le marché s'organise. Chaque peintre est considéré comme le faiseur possible d'une œuvre de prix. Ce sont des centaines, voire des milliers, d'artistes qui se font connaître ou se mettent à l'œuvre ; et le marché américain offre un incontestable champ à l'expansion de ces talents. C'est tout un peuple qui peint.

Les Haïtiens, très individualistes, suivent presque tous leur voie personnelle. C'est une éblouissante explosion d'œuvres si profondément diverses, si volontairement différentes que ces créations s'accumulent, tel un gigantesque trésor.

Des « écoles » naissent :
un groupe d'artistes quitte le Centre d'art pour fonder le *Foyer des arts plastiques* de 1950 jusqu'en 1956.
Brochette s'établit à Carrefour.
Calfou, dans le Haut-Turgeau à Port-au-Prince en 1962, présente des peintures, du théâtre, de la musique et de la poésie.
Les Beaux-Arts, à Port-au-Prince, offre un enseignement plus académique (1959).
Poto-Mitan ouvre ses portes à Lalue.

Luckner Lazard a toujours aimé les « cailles » (maisons paysannes) autour desquelles s'organise la vie quotidienne.

Luckner Lazard always loved these « cailles » (peasant homes) in the midst of everyday life.

Saint-Soleil s'établit en 1974 à Soisson-la-Montagne, André Malraux en a parlé.
L'atelier *À la tête de l'eau,* dans la région de Pétionville, avec Andrée G. Naudé, Tamara Baussan, Marie-José Nadal-Gardère, Michèle Manuel et Freddy Wiener, regroupe surtout des femmes-peintres.
L'atelier Néhemy Jean, près du Sacré-Cœur à Port-au-Prince, dont le courant essentiel s'exprime par des œuvres peintes d'après nature.
L'atelier Georges Hector s'installe à Carrefour.
Gay-Poterie présente des poteries et des sculptures.

Les galeries d'art se multiplient :
La galerie du Centre d'art, Carlos, Issa, Red-Carpet, Nader, Monnin qui propulse l'école de Jacmel, Rainbow, Petite-Galerie, Marcangreg, Panaméricaine, Marassa I et Marassa II qui font de la promotion d'art à Port-au-Prince et au Cap-Haïtien, Galerie Claire's, Trois-Visages...

L'école de Jacmel regroupe des artistes nés à Jacmel et présente surtout des paysages imaginaires. Son indiscutable chef de file est Préfète Duffaut.

L'école de Port-au-Prince est nommée aussi par quelques-uns l' « école de la beauté ».
Les *peintres du vaudou* avec notamment le célèbre Hector Hyppolite.
Les *animaliers.*
Les *scènes de vie* haïtienne.

L'école de Cap-Haïtien possède aussi ses chefs de file : Philomé Obin et son frère Sénèque.
Les *humoristes* avec André Normil et Alix Roy.
Il y a aussi les *paysagistes,* dont Roosevelt Sanon, Murat Saint-Vil, Jean-Louis Sénatus...
Parmi les *sculpteurs* citons, entre autres, Murat Brierre, Georges Liautaud, André Dimanche.
Les *modernes,* quant à eux, magnifient de façons si diverses cette prodigieuse floraison de l'Art haïtien.

Comment citer tant de noms dans une simple introduction sans en omettre quelques-uns ?
J'en laisse le soin à l'auteur de cet ouvrage, ayant — pour ma part — volontairement omis d'en dresser la liste, bien que la notoriété de la plupart d'entre vous ait dépassé les frontières de notre pays et soit parvenue jusqu'à moi.

19

Je sais mes frères et sœurs de mon Haïti natale, que nombre d'entre vous créent chaque jour, dans nos villages, dans nos montagnes, des œuvres merveilleuses encore inconnues, mais qui prendront place dans ce gigantesque trésor de l'Art haïtien, dans l'immense héritage culturel de l'humanité tout entière.

Depuis près de quarante ans, votre éblouissante création s'est révélée au monde. Les plus grands écrivains ont cité votre témoignage. Nombreux sont ceux qui ont essayé d'expliquer vos racines et vos sources. Tous demeurent figés dans l'interrogation. Perplexes dans leur réflexion.

Je sais, pour avoir vécu le plus lumineux de ma jeunesse dans l'atmosphère lourde et parfumée de notre terre, pour avoir été « natif-natal » de mon petit village de Bainet à l'ouest de Jacmel, parce qu'il monte en moi, chaque jour que fait le soleil, un peu de mon pays, de ses cannes à sucre, comme un fond de tam-tam, des souvenirs d'ébène, de gaillacs, de manguiers, des rires, des claques dans le dos, des tremblements de terre, des palmiers et des lianes, des sapotilles, des quénêpes, des corosols, des cachimans, des boborits et du clairin, l'amidon, l'akassan, le sirop-doux, les goyaves et le chou-palmiste, parce qu'il monte en moi la rivière Moreau aux écailles d'argent, Bainet, Jacmel, Marigot, Pétionville, Kenscoff, Furcy, et le Morne Bourette, et le Bassin Bleu, le Morne l'Hôpital et le Fort Mercredi, et Port-au-Prince, et son île de la Gonâve, et ses quartiers : Turgeau, Lalue, la ruelle Piquant, je sais, que votre art vient du fond de l'espoir.

Espoir gravé d'Afrique, buriné d'Amérique, sculpté des combats révolutionnaires de 1804, coloré des rythmes séculaires du vaudou, peint des luttes incessantes de votre histoire.

Oui, Haïti-couleur-Haïti-douleur, oui, Peuple-Peintre, aux lecteurs de ce livre, je souhaite de découvrir dans tes œuvres le message d'amour et de dignité que tu lances au monde.

Gérald BLONCOURT

Il y a quelque chose qui vibre ou qui hurle dans les toiles de Luce Turnier comme si les traces laissées au plus profond d'elle-même par le terrible cyclone de 1936 qu'elle vécut à Jacmel, sa ville natale, avaient marqué à jamais sa sensibilité.

There is something that vibrates or cries out in the paintings by Luce Turnier, as though the terrible cyclone of 1936 which she lived through in Jacmel, her home town, had marked her sensitivity for life.

Painting people
Haiti Hues Haiti Blues

"O deep night inflamed with stars, are you not that field
where I go to pluck my suns ?"

Bernard WAH

Nine p.m. A summer evening.
It is the 27th of June, 1985. The high-speed train has just passed Valence. I am on my way north from Avignon. In two more hours, Paris !
I have a date with a "little-girl-great-painter" who used to haunt the halls of the Art Center in Port-au-Prince, Haiti. Thirteen years old in 1944 —forty-one years ago !

The twilight spreads before me; though the sky is that of France, its watercolor delicacies evoke for me the memory of Dewitt Peters. So long ago, our first encounter... Beyond the tomb, I can still see his bright eyes, recall his North American accent, his radiance of quiet fellowship.

At the time, I was constantly at work painting landscapes of my native island. Vergniaud Pierre-Noël had introduced me to etching, and through Géo Remponeau I had acquired my mania for linoleum-block prints. At the Lithography Company of Haiti I had discovered the wonders of that technique, and at *La Phalange* I had picked up a thorough knowledge of the printing process.
Fonts, typography, linotype presses, the Marinoni machines held no mystery for me any longer. I had breathed the scent of their inks and learned to truly feel paper. Marvellous papers, differing to the touch like qualities of flesh, this one tender, that one coarse. Papers to be treated like a woman, papers with the fragility of a child. Paper, without which humanity is next to nothing.
With James Petersen, we tackled the fresco. The real kind, with sand and lime; it was in a small chapel not far from Pétionville, I believe.
Everything had come alive for me in the space of three or four years, and I was bursting with creative energy.
Painting, painting was truly my life. An urgent need. A fearsome necessity.

It was during this period that I crossed Dewitt's path.

Who could escape his sixth sense ? He was on the track of everything that moved in form and color.

In a short time, a number of us who were grouped around Dewitt —Albert Mangonès, Maurice Borno, Raymond Coupaud, Géo Remponeau, Emmanuel Lafond, Daniel Lafontant, James Petersen, Camille Tesserot and I— helped him found the *Art Center,* under the aegis of the Public Education Department and the Haitian-American Institute.

Joining us in establishing the center's bulletin, Studio No. 3, were Philippe Thoby-Marcelin, Raymond Lavelanette and Lucien Price.

The first issue came out in November 1945.

Our ranks were soon swelled by new arrivals: Tamara Baussan, Andrée Malebranche, Antonio Joseph, Luce Turnier, Marie-José Nadal.

Marie-José had her first exhibit at the age of thirteen and a half. From August 16th to September 16th, 1944, to be exact. Certain dates stick in one's mind !

I can see her now: that dense crop of brown hair, those slender hands, her starry gaze...

At her request, I attempt to go back nearly half a century to recapture the first few days of the Art Center.

I can state without risk of error that the center was the detonator of the explosion of Haitian painting, both "naïve" and more structured.

The Art Center's direct and concrete aid, in the form of material supplies and the exhibition and marketing of work, was in large part responsible for the development and propagation of the art of Haiti's folk painters.

It must be noted that the work of Dewitt Peters and his colleagues, never interfering with the creators, their techniques or their sources of inspiration, was crucial; it came at a time when pictorial art was burgeoning within the Haitian people at every level, tapping its submerged African memory, its scars of slavery, the liberating violence of 1804, Voodoo tradition, the *combites* (peasant festivities centering around group work projects), the wondrousness of the imaginary in its everyday life. Its rhythms, its musical genius. Its legends. Its dream-tales, narrative countdowns of history, of a past and a destiny with the dynamism of volcanic lava and its radiant vapors, a High Art, ancestral, visceral, dazzling.

In a meticulous chronicle Pierre Monosiet, curator of the *Museum of Haitian Art* at *St. Pierre's College* notes that between 1807 and 1818, we find a certain amount of artistic activity encouraged by Henri Christophe, King of Haiti and builder of the Citadelle Laferrière.

Between 1830 and 1860, thirty Haitian artists, several of them educated in France, are at work in Port-au-Prince and Cap-Haïtien.

During this period, Emperor Soulouque founds the *Imperial Academy of Drawing and Painting* at Port-au-Prince. Between 1863 and 1867, President Geffrard founds the *Academy of Art,* and around 1880 Archibald Lochard opens an academy for painting and sculpture.

In 1930, the American artist William Scott works in Haiti and inspires Pétion Savain to begin to paint. A group forms around him, among whom several will later join the Art Center.

In 1943, Dewitt Peters comes to Haiti as an English teacher. He decides to create a center for the arts, and contacts Horace Ashton, director of the Haitian-American Institute, where a department devoted to the arts is established. Later that year, Peters leaves the institute.

May 14, 1944, the Art Center is inaugurated in Port-au-Prince.

Founders: Dewitt Peters, Maurice Borno, Albert Mangonès, Raymond Coupeau, Géo Remponeau, Gérald Bloncourt, Raymond Lavelanette, Philippe Thoby-Marcelin.

In May, Antonio Joseph and Philomé Obin join the center, along with Rigaud Benoit and Adam Léontus. They are followed by Lucien Price, Pierre Paillière, Luce Turnier, Marie-José Nadal, Andrée Naudé and Tamara Baussan.

In February 1945, Philomé Obin sends the Art Center his first work, portraying in childlike perspective, but with minute detail, the arrival of Franklin D. Roosevelt at Cap-Haïtien to end the U.S. occupation, which had been valiantly combated by the Haitian people and their famous *cacos* (rebel leaders), among whom one noted leader, Charlemagne Péralte, had been crucified by the U.S. marines.

This painting was a discovery for Dewitt Peters and his colleagues, a revelation of the naïve painting incubating in Haiti. They realized it was imperative to recognize and stimulate it at all costs.

Gesner Armand traduit, avec une précision micrométrique, ses sentiments profonds. Entre sa main et son émotion, pas de décalage, mais l'exacte précision de ses sensations.

Gesner Armand translates his deep feelings with the utmost preciseness. There is no gap between his emotions and his painting hand, only the exact imprint of his sensations.

At Cap-Haïtien, an establishment bringing together unknown artists is opened under the direction of Philomé Obin in September 1945.
In November, Castera Bazile comes to the Art Center. André Breton also visits Haiti during this period. In his book *Surrealism and Painting*, published in 1947, he includes the work of Hector Hyppolite, another Art Center member. He purchases 12 Hyppolite canvases.

Breton's trip, preceded by that of Aimé Césaire, is an important event for the Haitian intelligentsia.
At the time, young students are avid for everything French. The war in Europe has just ended, intense cultural activity flows from liberated France. Pierre Mabille popularizes the great poets of the Resistance: Eluard, Aragon. Young people are fascinated by Prévert. Picasso is no longer a sphinx, but a socially and politically committed creator.

The spirit of the times makes it possible for the creation of folk painters to assume its full stature and be received with the enthusiasm it deserves. The Cuban painter Wilfredo Lam has an exhibition at the Art Center. It is a triumphant success.
Painters whose subject matter is drawn from Voodoo, scenes of history, incantatory dreams, are no longer looked upon as diffident bumblers, clumsy innocents.
One can understand the words of Mabille, writing in the Art Center's magazine, Studio No. 3: "Art represents the human struggle, its renewed excitement, its unmet demands as well as ever fresh wonder. It is like science, exercising its own disciplines and will toward discovery. It strives for the representation of unseen forms, the revelation of new relationships, the transformation of our sensory powers and the content of our imagination.
"The paths followed by the painter in this conquest are individual to him or her. Give freedom to the artist's brush, and the marks on canvas become streaks of agate, gradations of twilight, sections of cave walls. With freedom of the hand, its action ceases to copy the object and expresses internal obsession. With freedom of the mind, the relations between shapes and objects are replaced by others, more stirring and perhaps, in a profound sense, truer. Space fills with lines of force, apparitions. The object, restored to its total mystery, displays the synthesis of its essential reality, so different from its perceived appearance.

James Petersen : « Furcy. » Cette région montagneuse qu'il aime passionnément existe pour lui entre les coups de soleil et les brumes humides qui montent en volutes du Bassin Bleu.

James Petersen, "Furcy". He sees this mountainous region he loves so between bright beams of sunshine and the mists that curls upwards from the Bassin Bleu.

"Among the shapes the painter creates, or perhaps only reveals, are some which assume a unique evocative power and a magical function.

"Freedom, the essential condition for discovery, must not be confused with lack of constraint, easiness, "facile nonchalance". Quite the contrary, it must be an extreme tautness on the part of the artist, the effort toward lucidity which alone can burst the bonds of habit, repetition, ordinary representation. It is at this price and this price only that painting, through its creative power, contributes to the transformation of the world by altering the perceptible climate of our lives and, more intimately, the material of our thought and of our dreams."

This seething of ideas foreshadows the events of 1946, whose first few days saw the advent of the "Cinq Glorieuses" rebellion and the fall of Lescot.

Jasmin Joseph, Jacques Enguerrand-Gourgue, Minium Cayemitte, Wilmino Domond, Préfète Duffaut, Séneque Obin, Micius Stéphane, Robert St. Brice and André Pierre join the Art Center.

In 1949, a visit from a wonderstruck Jean-Paul Sartre.

A commission for murals and sculptures for the *Holy Trinity Cathedral* in Port-au-Prince is awarded to Toussaint Auguste, Castera Bazile, Rigaud Benoit, Wilson Bigaud, Préfète Duffaut, Gabriel Lévêque, Philomé Obin and the sculptor Jasmin Joseph.

At this point, Haitian art bursts into the cultural consciousness of the nation and spreads beyond her borders.

It is now ushered to the baptismal font of history and recognized as the apex of Haiti's self-expression as a country. No more "kind" or condescending looks. The *Museum of Modern Art* in New York buys Wilson Bigaud's "Murder in the Jungle."

Antonio Joseph receives the first Guggenheim Award to be bestowed on a Haitian artist. Joseph Hirshorn visits the Art Center and purchases Haitian canvases.

« *Adoration à la Vierge* » *de Castera Bazile.*

"*Adoration of the Virgin*" *by Castera Bazile.*

*Hernot Versaint : « La lecture »,
chêne sculpté.*

---

*Hernot Versaint, "Reading",
carved oak.*

The market becomes organized. Each painter is considered the potential creator of valuable work. Hundreds, even thousands of artists become known or get a start. The U.S. market offers a sure ground for the expansion of these talents. A whole people is painting.

The highly individualistic Haitians nearly all follow personal paths. We see a dazzling explosion of works so deeply distinctive, so wilfully diverse that the accumulated creations are like a vast treasure-trove.

"Schools" arise. A group of artists leaves the Art Center to found the Hall of Plastic Arts (1950-1956).

Brochette is founded, located at Carrefour.

In 1962, *Calfou* appears in the Haut-Turgeau district of Port-au-Prince, offering theatre and music as well as exhibiting paintings.

Beaux-Arts, in Port-au-Prince, provides more academically-oriented instruction (1959).

There is *Poto-Mitan* at Lalue; *Saint-Soleil* at Soisson-la-Montagne, in 1974 spoken of by André Malraux.

L'Atelier À la Tête de l'Eau in the Pétionville area, with Andrée G. Naudé, Tamara Baussan, Marie-José Nadal-Gardère, Michèle Manuel and Freddy Wiener, brings together for the most part women painters.

L'Atelier Néhemy Jean, near the Sacré Cœur in Port-au-Prince, specializes in painting nature themes.

And more: *L'Atelier Georges Hector* at Carrefour; *Gay Poterie* for pottery and sculpture.

Art galleries proliferate. There is the Art Center's gallery as well as *Carlos, Issa, Red Carpet, Nader, Monnin* (promoting the Jacmel School), *Rainbow, Petite-galerie, Marcangreg, Panaméricaine, Marassa I* and *II in* Port-au-Prince ; *Claire's* and *Trois-Visages* in Cap Haïtien.

The *Jacmel School* is made up of artists born in Jacmel, producing for the most part imaginary landscapes. Its undisputed leader is Préfète Duffaut.

The *Port-au-Prince School* is called by some the *School of Beauty.*

Then there are the *Voodoo painters,* with the great Hector Hyppolite; the *Animal painters;* painters of *Scenes of Haitian Life.*

In the *Cap-Haïtien School,* Philomé Obin and his brother, Sénèque, are the guiding lights.

Whe have the *Humorists,* with André Normil and Alix Roy.

There are also the *Landscape painters,* such as Roosevelt Sanon, Murat Saint Vil, Jean-Louis Sénatus.

Working in sculpture are Murat Brierre, Georges Liautaud, André Dimanche.

There are the *Moderns,* who in their different fashions magnify the wondrous blooming of Haitian Art.

How is it possible to list so many names in a brief introduction without overlooking a few? I leave the selection process to the author, not wishing to compile the list myself, even though in the majority of cases your fame has spread beyond the borders of our country and come to my attention.

Brothers and sisters of my native Haiti, I know that many of you are creating every day, in our villages and mountains, magnificent works, as yet unknown, but destined to take their place in the vast treasure-trove of Haitian art, and in the immense cultural heritage of all humanity.

For nearly forty years your dazzling creations have been known to the world. The greatest writers have cited your testimony. Many have attempted to define your roots and your sources. Their efforts have resulted only in further questioning. All their reflection has added to their perplexity.

Having lived the brightest era of my youth in the dense, perfumed atmosphere of our land, myself a native born son of the small town of Bainet, west of Jacmel, with

Jean-Baptiste Bottex, École du Cap, a su rendre avec réalisme l'atmosphère rythmée de la vie haïtienne.

Jean-Baptiste Bottex, Cap-Haitien School, has realistically rendered the rhytmic atmosphere of Haitian life.

each dawning day there awakens within me a little of my country... its sugar cane like a drumbeat in the background, memories of ebony, mango trees, the gaillac plant ; laughter, back-slapping, earthquakes, palm trees, liana vines, the sapodilla, native fruits —quénêpe, corosol, cachiman — and boborit, anise ; clairin, our liquor; akassan, our manioc drink; sweet syrup, guayavas, the cabbagetree... within me stir the silvery waters of the Moreau River, visions of Bainet, Jacmel, Marigot, Pétionville, Kenscoff, Furcy, Morne Bourette, Bassin-Bleu, Morne L'Hôpital, Fort Mercredi ; Port-au-Prince and its Island, La Gonâve ; the neighbourhoods —Turgeau, Lalue, tiny Piquant Alley... Haiti, this I know: your art springs from the inmost core of hope.

A hope imprinted by Africa, engraved by America, sculptured by your revolutionary combat of 1804, colored by the age-old rhythms of Voodoo, painted in the blood of ceaseless struggles throughout your history.

Yes, Haiti, your Hues and Blues, your painting people— may the readers of this book discover in your works the message of love and dignity you address to the world.

Gérald BLONCOURT

Frantz Laratte : sculpture sur pierre.

Frantz Laratte, stone sculpture.

Luckner Lazard.

Je t'ai inventé
ce matin-là
au soleil naissant

*I invented you
that morning
as the sun was born*

Il faisait lune
et doux

*The moon was out
and gentle*

Les tambours dormaient
et Port-au-Prince frissonnait

*The drums were sleeping
and Port-au-Prince shivered*

Un requin
glissait
dans la rade

*A shark
slipped
into the lee...*

Roland Dorcely.

La Gonâve
s'allongeait
sur les flots...

*The Gonâve
stretched out
onto the waves...*

Fernand Pierre.

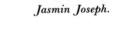

Jasmin Joseph.

Je t'ai inventé
Pour te retrouver...

*I invented you
to rediscover you...*

*Extrait du recueil :
...« J'ai rompu le silence... »,
Gérald Bloncourt.*

---

*Extract from the collection
"J'ai rompu le silence..."
("I broke through the silence"),
Gérald Bloncourt.*

28

Les fondateurs

*Le Centre d'art
Comment tout a commencé*

par Dewitt C. PETERS

(D'après une conférence diffusée par la radio jamaïcaine en 1952.)
© *Le Centre d'art 1968.*

En février 1943, quand je survolai les montagnes d'Haïti, belles mais désolées, pour atterrir à Port-au-Prince, la pensée la plus éloignée de mon esprit était sans doute celle de fonder un centre d'art.

Peintre et fils de peintre, j'étais envoyé là par la Sécurité fédérale des États-Unis avec un groupe de gens divers pour enseigner l'anglais aux Haïtiens. Cette tâche était nouvelle pour moi et j'y apportai beaucoup de sérieux, travaillant au lycée d'État de Port-au-Prince jusqu'à la fin de l'année scolaire, en juillet. Commencèrent alors les longues vacances d'été et le soir je pris l'habitude de m'installer sur le balcon de ma chambre d'hôtel pour contempler la ville à mes pieds et les étonnantes formations de nuages sur les montagnes de l'autre côté de la large baie. C'est au cours de l'une de ces méditations que me vint l'idée de fonder une école d'art. Il n'y en avait jamais eu en Haïti, à l'exception — brièvement — d'une école des Beaux-Arts créée sous le président Geffrard, au milieu du XIXᵉ siècle. En fait, à ma connaissance, il n'existait pas d'art en Haïti. Et cela me paraissait extraordinaire dans un pays d'une très grande beauté naturelle, dont la lumière est comparable à celle du sud de l'Italie, et habité par un peuple charmant dont le folklore et les traditions sont d'une grande richesse.

C'est à peu près à cette époque que j'eus la bonne fortune de rencontrer un grand nombre de jeunes intellectuels haïtiens, parmi lesquels des peintres, avec qui je discutai de mon idée. La plupart d'entre eux revenaient de séjours ou d'études à l'étranger, ce qui leur donnait l'ouverture d'esprit des gens qui ont voyagé. Ils furent tous enthousiasmés.

Du temps passa sans que nous arrivions à rien de concret et je pris conseil de l'attaché culturel de l'ambassade des États-Unis au sujet des difficultés que nous rencontrions, particulièrement pour trouver un local adéquat. Il m'arrangea un rendez-vous très important pour nous avec le président d'Haïti de cette époque, Élie Lescot.

Le président, un homme doué d'un grand charme personnel et très intéressé par l'art, fut immédiatement séduit par le projet. Quand on en vint à la question du local, je mentionnai une maison que j'avais repérée. Je n'oublierai jamais mon excitation et mon soulagement quand il décrocha le téléphone, appela son secrétaire et lui ordonna de nous procurer cette propriété. Nous y arrivions enfin ! Le lieu était dans un incroyable état d'abandon, mais nous vîmes du premier coup d'œil que la disposition et la dimension des pièces nous conviendraient parfaitement ; de plus, le gouvernement haïtien avait accepté d'en payer le loyer pour nous. Ce fut le premier d'une série de gestes généreux de la part du gouvernement Lescot et des régimes qui lui ont succédé jusqu'à ce jour.

Avec mon petit groupe de peintres haïtiens, plus ou moins amateurs, et quelques nouveaux venus, nous inaugurâmes, le 14 mai 1944, la première exposition générale de peinture haïtienne qui ait été organisée dans la capitale. Le président vint avec sa suite et ce fut un grand moment quand, d'un geste large, il coupa le ruban bleu et rouge tendu en travers de l'entrée avant de pénétrer dans le Centre, suivi d'une foule nombreuse. L'intérêt suscité par notre exposition fut grand et nous fûmes étonnés de voir à quelle vitesse les tableaux se vendirent, atteignant un total record de 550 dollars le premier jour.

Après ce succès initial, nous nous attelâmes bien sûr à l'organisation et à la tenue des cours, à l'entretien et à l'aménagement de notre bâtiment et à l'apprentissage de la gestion d'une école d'art. Nous ne commîmes aucune erreur sérieuse et nos rangs grossirent continuellement. Financièrement, nous fûmes déficitaires pendant plusieurs mois, jusqu'à ce que le gouvernement haïtien augmente sa subvention mensuelle à 200 dollars, somme rapidement doublée par le département d'État des États-Unis. Depuis ce temps, le budget mensuel de l'institution n'a jamais dépassé 400 dollars.

Photo historique : la première réunion après la fondation du Centre d'Art. De droite à gauche : Dewitt Peters, Philippe Thoby-Marcelin, Emmanuel Lafond, Luce Turnier, Daniel Lafontant, Maurice Borno, Révérend James Petersen, Gérald Bloncourt, Géo Remponeau, Raymond Coupaud, Raymond Lavelanet, Albert Mangonès et, de dos, Lucien Price.

Historic photo of the first meeting after the founding of the Art Center. From right to left, Dewitt Peters, Philippe Thoby-Marcelin, Emmanuel Lafond, Luce Turnier, Daniel Lafontant, Maurice Borno, Rev. James Petersen, Gérald Bloncourt, Géo Remponeau, Raymond Coupaud, Raymond Lavelanet, Albert Mangonès and, facing away, Lucien Price.

Environ six mois après l'ouverture du Centre, un événement apparemment sans importance eut lieu : nous reçûmes une toile de Philomé Obin, un artiste travaillant dans le nord d'Haïti. C'était une peinture particulière, décrivant avec une perspective enfantine, mais une précision minutieuse, l'arrivée de Franklin Roosevelt au Cap-Haïtien pour mettre fin à l'occupation d'Haïti par les Américains. L'envoi de cette peinture fut le point de départ de ce qui devint rapidement l'un des phénomènes artistiques les plus extraordinaires des temps modernes : la découverte des primitifs haïtiens. À l'époque, je n'étais pas du tout intéressé par l'art primitif. Cependant, par chance, nous achetâmes la peinture (pour 5 dollars de matériel de peinture et 5 dollars en espèces !) et écrivîmes une lettre encourageante à l'artiste. Sa réponse reconnaissante montra immédiatement l'intégrité de l'artiste qui, semblait-il, avait peint toute sa vie en dépit des moqueries de son entourage et dont l'ambition de toujours était d'être l'illustrateur de l'histoire de son pays en même temps que d'enseigner la peinture aux jeunes. Avec une remarquable ténacité il a réussi à être les deux.

En Haïti, les nouvelles se répandent de bouche à oreille plus rapidement que par le télégraphe. On ne peut dire précisément que ce fut la cause de la « découverte » suivante, mais peu de temps après l'arrivée de la peinture d'Obin, un jeune homme se présenta avec un vase de terre cuite délicatement orné de roses ; il nous dit que ce vase avait été peint par quelqu'un d'autre et qu'on lui avait seulement demandé de nous l'apporter pour voir si nous l'achèterions. Ce que nous fîmes. Par chance, nous donnâmes au jeune homme un carton en lui demandant de prier le décorateur du vase d'y peindre un tableau. Il prit le carton et disparut, reparaissant avec la peinture quelque temps plus tard, alors que nous l'avions totalement oublié.

Le tableau représentait un pont sur une rivière où nageaient des canards, dans un charmant paysage haïtien avec des palmiers. Nous lui en demandâmes le prix et, après une petite hésitation, il se jeta à l'eau et dit 2 dollars. Dans un moment de ce qu'on ne peut qu'appeler inspiration, nous lui en donnâmes 4. Avec quelques cartons plus grands et une tape amicale sur l'épaule qu'il devait transmettre à l'artiste que nous n'avions pas encore rencontré. Quelques semaines plus tard, il réapparut cette fois avec quatre peintures extraordinairement poétiques — en progrès incroyable par rapport à la première. Dans notre enthousiasme, nous insistâmes pour qu'il nous amène l'artiste immédiatement. Il apparut qu'il n'y avait pas un artiste, mais deux. Nous lui dîmes de nous les amener tous les deux. Il sembla dubitatif, mais dit qu'il allait essayer et redescendit l'escalier. Environ dix minutes plus tard il était de retour, sans les artistes. Où étaient-ils ? Ils n'existaient pas. Il avait lui-même peint tous les tableaux mais avait été trop timide pour l'avouer tout de suite. Rigaud Benoit est maintenant l'un des plus délicats et charmants peintres populaires haïtiens, avec à son actif une remarquable fresque dans la cathédrale épiscopalienne de Port-au-Prince.

Vint le moment où nous allions voir émerger de l'obscurité et de la misère noire, dans son âge mûr, le plus grand des peintres primitifs haïtiens, Hector Hyppolite. Son histoire est différente.

L'année précédente, comme le camion qui me ramenait d'une visite à Obin traversait le village de Mont-Rouis, j'aperçus du coin de l'œil les portes gaiement peintes d'un petit café. Je n'eus pas le temps d'en voir le détail et, plus tard, j'ai toujours trouvé miraculeux de les avoir remarquées. Y avait-il dans ces dessins une puissante attirance magnétique ? En tout cas, de retour à Port-au-Prince je ne pus les oublier et quand, un peu plus tard, mon bon ami Philippe Thoby-Marcelin, très distingué romancier haïtien, dut traverser Mont-Rouis pour se rendre à Saint-Marc, je lui demandai d'essayer d'en localiser l'artiste. À son retour, Phito me dit qu'il avait pu le trouver. C'était, disait-il, un étrange et mystique personnage, avec une tête d'une grande beauté et d'une grande dignité, un prêtre vaudou. Il avait peint les portes de nombreuses années auparavant, puis avait fait l'erreur d'aller s'installer à Saint-Marc comme peintre en bâtiment. Il y vécut une vie de famine pendant quinze ans, peignant occasionnellement à l'aide de restes de peinture récupérés sur les chantiers, utilisant des plumes de poulet en guise de pinceaux. Immédiatement Phito et moi, accompagnés d'Ira et Édita Morris, les romanciers, qui séjournaient en Haïti, prîmes le pittoresque train à voie étroite qui longe cette belle côte jusqu'à Saint-Marc. Nous allions rencontrer Hyppolite. Quand nous trouvâmes la case misérable dans laquelle il vivait avec sa jeune maîtresse et les deux petites orphelines qu'il avait adoptées, on nous dit qu'il était absent. Sa jeune femme, languissante et sous-alimentée, nous dit qu'elle ne savait pas où il était. À ce moment je le vis au bout de la rue — immanquable — qui venait vers nous. Comme il approchait, nous vîmes en effet la noblesse de son allure et l'expression sereine et lumineuse de son visage. Ses cheveux d'un noir de jais, dont les innombrables vaguelettes étaient séparées par le milieu, tombaient jusqu'à ses épaules. À son arrivée nous nous levâmes. Nous saluant avec une courtoisie cérémonieuse et posée, il nous dit que notre visite n'était pas une surprise pour lui. Il l'avait prévue longtemps à l'avance, grâce à un rêve qu'il avait fait. Nous devions avoir par la suite bien d'autres exemples de ce don de visionnaire.

Très vite, Hyppolite prit un nouveau bail sur la vie et, encouragé par les ventes que nous faisions pour lui, il quitta Saint-Marc pour toujours et vint s'installer avec sa petite famille à Port-au-Prince. Alors commença pour lui une période d'intense activité créatrice ; il travaillait constamment. Peintre rapide et passionné, il passa de phase en phase, nous apportant périodiquement toute sa production. Sa forme d'expression est différente de celle d'Obin et de sa méticuleuse préoccupation du détail. Hyppolite est un artiste plus hardi, plus libre et plus poétique. Ses plus belles toiles, exécutées juste avant sa mort tragique d'une crise cardiaque en 1948, sont caractérisées par une imagination et une audace, une richesse de dessin et de couleur rarement atteintes dans la peinture contemporaine. Le célèbre critique d'art français André Breton, initiateur du mouvement surréaliste en art, en fut si ému qu'il aurait dit que si les jeunes peintres contemporains français faisaient la connaissance d'Hyppolite, il pourrait à lui seul changer la tendance de la peinture dans ce pays.

Jacques Enguerrand Gourgue traite ici avec une extrême délicatesse un paysage qui semble riant. Cependant, à l'arrière-plan se profilent les « mornes » noirs de ses angoisses.

Here, Jacques Enguerrand Gourgue delicately portrays a seemingly smiling landscape, but, in the background hover the black "mornes" (hills) of his anguish.

Par mesure d'économie, j'avais quitté la petite maison que je louais sur les hauteurs et j'habitais au Centre. Le jeune homme que j'employais comme domestique était devenu celui du Centre d'art : Castera Bazile. Fasciné par l'activité créatrice de l'institution qui bourdonnait littéralement avec ses groupes de jeunes peintres qui entraient et sortaient, apportant leurs œuvres, peignant... il ne fut pas long à me demander s'il pourrait aussi essayer de peindre. Je lui dis oui, mais qu'il devait d'abord finir son travail dans la maison. Sa première œuvre, actuellement en ma possession, est un délice : c'est une scène représentant une procession religieuse dans la campagne, pleine de lumière et de couleur et d'une charmante naïveté. Bazile est depuis longtemps maintenant un peintre à part entière et ses trois superbes fresques de la cathédrale épiscopalienne le désignent comme le plus naturellement doué de tous les peintres populaires haïtiens. Grand, calme, religieux, avec un visage merveilleusement expressif, Bazile a assumé la transition de domestique à peintre avec toute la dignité du monde.

*Observateur attentif, André Normil peint
avec un humour malicieux.
Tous les personnages de cette scène
de mariage pourraient se reconnaître.*

---

*An attentive observer, André Normil paints
with mischievous humor.
All the figures in this marriage scene
could be encountered in daily life.*

De même que les célèbres fresques de la cathédrale sont le point culminant de l'œuvre des peintres populaires haïtiens en tant que groupe, le *Paradis terrestre* récemment achevé par Wilson Bigaud, vingt-deux ans, est le sommet de la réalisation individuelle d'un peintre haïtien. Cette toile, maintenant célèbre, de 90 cm par 1,20 m, prit cinq ans et demi à peindre. C'est la première peinture haïtienne à avoir été invitée à la grande exposition internationale Carnegie. À ce jour, deux importants musées et un grand nombre de collectionneurs privés ont émis le souhait d'acheter cette œuvre ; mais elle est réservée pour l'exposition Carnegie, la plus importante exposition internationale de peinture qui ait lieu aux États-Unis. Le jeune Bigaud, un protégé d'Hyppolite, est le plus objectif des peintres populaires haïtiens et le seul qui pourrait dire comment il obtient ces merveilleux effets de couleur, de lumière et de profondeur. En dépit de son grand succès, il reste très simple et continue à vivre avec sa jeune femme et leurs deux enfants dans une minuscule maison d'une seule pièce dans un quartier pauvre de Port-au-Prince.

Nous sommes entrés dans le détail de l'histoire de cinq des principaux artistes du mouvement artistique contemporain d'Haïti. Il y en a au moins vingt-cinq, parmi lesquels on peut citer : Toussaint Auguste, Fernand Pierre, Adam Léontus, Préfète Duffaut, Gesner Abélard, Dieudonné Cédor, Jacques Enguerrand-Gourgue, Louverture Poisson, Sénèque Obin (frère de Philomé) et, parmi l' « avant-garde » ou les artistes non primitifs : Maurice Borno, Luce Turnier (principale femme peintre haïtienne), Pierre Monosiet, Max Pinchinat, Roland Dorcely, Luckner Lazard, Lucien Price... Antonio Joseph mérite une mention spéciale, car il est non seulement un brillant aquarelliste, mais ses fresques de l'hôtel Ibo Lélé sont remarquables dans le groupe des artistes d'avant-garde ou modernes.

Quel est l'avenir de l'art en Haïti ? Au bout de près de neuf ans, il est évident que les Haïtiens sont très individualistes et presque tous les artistes suivent leur voie personnelle. Quelques-uns parmi les peintres populaires ont régressé, paradoxalement parce qu'ils ont reçu un peu plus d'instruction conventionnelle que les autres. La peinture sur chevalet est bien établie, la fresque est très vigoureuse, la céramique a été introduite au Centre l'hiver dernier par la distinguée céramiste américaine Edith Weynand et des résultats intéressants ont été obtenus. La technique du modelage, d'abord enseignée au Centre par le jeune sculpteur américain Jason Seley, continue d'être suivie par quelques adeptes, parmi lesquels il faut citer Hilda Williams, Antonio Joseph, Jasmin Joseph. Ce dernier présente la particularité d'être illettré, C'est un ancien briquetier, et il est un des rares sculpteurs primitifs. Des experts dans ce domaine m'ont dit qu'une partie de son œuvre rappelle celle des sculpteurs de la dynastie Han, il y a environ deux mille ans. Dans l'ensemble, la sculpture sur bois ne progresse pas, la technique est excellente, mais le goût des artistes a été en majeure partie détourné vers le commerce et le tourisme. Il y a une exception : André Dimanche, un travailleur agricole du Sud. Lui seul est inspiré par la forme naturelle des troncs d'arbres ; son œuvre est baroque, mais possède une étrange puissance. Quatre des principaux artistes d'Haïti (Luce Turnier, Max Pinchinat, Luckner Lazard et Roland Dorcely) travaillent en ce moment à Paris. Il se peut qu'à leur retour, la peinture moderne haïtienne reçoive une nouvelle impulsion et une nouvelle vitalité. Dans l'ensemble, Haïti peut être fière de ce que ses artistes ont été capables de réaliser en moins de dix ans, en partant de rien.

Dewitt Peters

Founders
of the Art Center

Haitian Art and the Art Center...
How it all started

by *Dewitt C. Peters*

When, in February of 1943, I found myself flying into Port-au-Prince over the desolate but poetic and beautiful mountains of Haiti, probably the furthest thought from my mind was that of founding an art center.

A painter, and my father a painter before me, I had been sent down by United States Federal Security as one of a mixed group to teach English to Haitians. This was something new to me and I approached the matter very earnestly, working at the government Lycée in Port-au-Prince until the end of the term in July. Now began the long summer vacation and in the evenings I used to sit on the balcony of my hotel and watch the city below me and the marvellous formations of clouds along the tops of the mountains across the great bay. It was during these ruminative sessions that the idea of starting an art center occurred to me. There had never been one in Haiti except for a short-lived Ecole des Beaux Arts started under President Geffrard in the mid-nineteenth century. Indeed as far as I could see, there was no art in Haiti. And this seemed to me extraordinary in a country of very great natural beauty, with a clarity of atmosphere comparable to that of southern Italy, inhabited by a charming people rich in folklore and tradition.

At about this time it was my good fortune to meet a number of young Haitian intellectuals, and with them I discussed my idea. Most of them had recently returned from sojourns and studies abroad and thus possessed the wider vision and understanding of the travelled person. They were all enthusiastic.

Time was passing with nothing definite taking shape and I had been consulting with the Cultural Attaché of the United States Embassy about the various problems we were encountering, particularly that of finding a suitable locale. About this time he arranged a most important rendez-vous for us —an interview with the then President of Haiti, Elie Lescot.

Quelques-uns des premiers artistes du Centre d'Art réunis autour de Dewitt Peters. (Photo de 1944).

Some of the first artists in the Art Center with Dewitt Peters (in 1944).

The President, a man of great personal charm and keenly interested in art, showed immediate interest in the project. When the question of a locale came up I mentioned a house I had seen. I will never forget the thrill and relief I felt when he picked up the phone on his desk, called his secretary and commanded him to secure the bulding for us. We were finally getting somewhere. The place was in an indescribable state of neglect, but at a glance we could see that the layout and dimensions of the rooms would suit us perfectly. Furthermore, the Government had agreed to pay the rent on the building. This was the first of a series of generous gestures on the part of the Lescot government and its successors which have continued to this day.

With a small group of more or less amateur Haitian painters and a few newcomers we opened the first comprehensive group show of Haitian painting ever organized in the Capital on May 14, 1944. The President came with his entourage and the climax was reached when, with a good-humoured flourish, he cut the red and blue silk ribbons which were stretched across the main entry and went in, followed by a huge and eager crowd. Interest ran high and we were quite astonished at the rapidity with which the pictures sold, for a record total of $550 the first day. After this initial success we settled down, of course, to the hard work of organizing classes, holding them, maintaining and improving the building and really learning the business of running an art center. However, no really serious mistakes were made and our membership increased steadily. Financially we ran in the red for a number of months until the Haitian government increased our monthly subsidy to $200, which was shortly thereafter equalled by the United States Department of State. Since that time, the budget for running the institution has never exceeded $400 per month.

About six months after we opened, a seemingly unimportant event took place: a painting was sent to us from Philomé Obin, an artist working in the northern part of Haiti. It was a peculiar picture, depicting with childish perspective but

*Documents émouvants :
fac-similés du premier
catalogue.*

*Nostalgic pages,
facsimiles from the first
catalogue.*

meticulous craftsmanship the arrival of Franklin Roosevelt in Cap Haitien to lift the American occupation of Haiti. But the delivery of this picture was the starting signal for what subsequently and rapidly developed into one of the most extraordinary artistic phenomena of modern times —the discovery of the Haitian primitives. At the time we received the painting, I was not at all interested in primitive art. However, by a fortunate chance, we bought the picture (for $5 worth of art materials and $5 cash!) and wrote an encouraging letter to the artist. His grateful reply was an immediate clue to the integrity of the man who, it appeared, had painted all his life in spite of the mockery of most of his neighbours, and whose two ambitions had always been to be the historian of his country in paint, and a teacher of painting to the young. With remarkable fidelity he has been able to realize both ambitions.

In Haiti news spreads by word of mouth with a rapidity which exceeds the telegraph. It cannot be said precisely that this was the force behind the next ''discovery,'' but not long after receiving the painting by Obin, a young man came in with a crude earthenware vase delicately decorated with roses; he said this had been painted by another person and that he was merely asked to bring it in to see if we would buy it. We did, and by another happy chance gave the man a piece of cardboard and asked him to get the decorator of the vase to paint a picture on it. He took the cardboard and vanished, reappearing with the painting some time later, after we had quite forgotten him. It represented a bridge over a stream with some ducks swimming and a charming suggestion of a Haitian landscape with palm trees. We asked him the price of the picture and, after a little hesitation, he took the plunge and said $2. In a moment of what can only be called inspiration we gave him $4. Plus several much larger pieces of cardboard and a friendly pat on the back which he was to transmit to the artist whom we had not yet met. Within the space of some weeks he was back, this time with four extraordinarily strange and poetic pictures —an unbelievable advance over the first. In our enthusiasm, we now insisted that he must bring the artist in immediately. It now appeared that there was not one artist but two; we said to bring them both in. Doubtfully, he said he would try and went off down the stairs. In about ten minutes he was back, but without the artists. Where were they? They didn't exist. He himself was the artist of all the pictures, but he had been too doubtful and timid to admit it. Rigaud Benoit now creates some of the most delicate and charming popular paintings in Haiti, with an impressive mural to his credit in the Episcopalian Cathedral in Port-au-Prince.

Now, emerging from the miserable starvation and obscurity of his middle years, came the greatest of Haitian primitive painters, Hector Hyppolite. But his story is different.

Once, the year before, as the van on which I was returning from a visit to Obin in the Cape careened through the country village of Mont-Rouis I caught sight, out of the corner of my eye, of the gaily painted doors of a small bar. There was no time to see any details and, in later years, I have thought that it was a miracle I saw them at all. Was there some latent and powerful force in those simple designs which hypnotized? In any case, on my return to Port-au-Prince I far from forgot them and when, some time later on, my good friend Philippe Thoby Marcelin, a most distinguished Haitian novelist, was going to pass through Mont-Rouis on his way to St. Marc, I asked him to try and locate the artist. When Phito returned he said he had been able to find him. He was, he told me a strange, mystic person with a head of great dignity and beauty, a Voodoo priest. He had painted the doors many years before and then had made the mistake of settling in the small provincial town of St. Marc as a house painter. There he had virtually starved for over fifteen years, doing occasional paintings with leftover house paint, using chicken feathers for brushes. Immediately Phito and I, accompanied by Ira and Edita Morris, the novelists, who were then in Haiti, took the picturesque little narrow gauge train which follows the lovely coastline to St. Marc.

De gauche à droite :
Maurice Borno, Dewitt Peters,
José Gomez Sicre,
Albert Mangonès,
Géo Remponeau.

From left to right,
Maurice Borno, Dewitt Peters,
José Gomez Sicre,
Albert Mangonès,
Géo Remponeau.

We were going to meet Hyppolite. When we finally found the miserable hut he lived in with his young mistress and two little orphan girls he had adopted, we were told that he was not in. The languid unfed young woman told us she did not know where he had gone. But at this moment I saw him —unmistakable— far away down the street and coming toward us. As he approached we noticed indeed the nobility of his carriage and the serene and luminous expression of his face. His jet black hair with its innumerable small waves was parted in the middle and worn long to the shoulders. As he came up to us we rose. Greeting us with a poised and ceremonial courtesy, he told us our visit was no surprise. He had known it long before from a vision he had had in a dream. Later on we were to have many other examples of this visionary second sight.

Soon, with a new lease on life and encouraged by sales which we were beginning to make for him, Hyppolite left St. Marc forever, moving himself and his small family to Port-au-Prince. And now began his period of great creative activity. He worked constantly. Always a rapid and passionate painter, he moved though phase after phase, periodically bringing in to us all of his production. Not a pure primitive painter in the sense that Obin is, with his meticulousness and infinite preoccupation with detail, Hyppolite is a much bolder, freer and more poetic artist. His finest work, executed just before his tragic death from a heart attack in 1948, is characterized by an imagination and a boldness, a richness of design and color rarely equalled in contemporary painting. The celebrated French critic, André Breton, originator [sic] of the Surrealist movement in art, was so moved by it that he is reported to have said that if Hyppolite were known to the contemporary painters of France he could, single-handedly, change the whole course of painting in that country.

For reasons of economy I had moved out of the small house I had rented in the hills and was living in one of the upstairs rooms of the Center. The young man I had employed as houseboy in the country was now the houseboy of the Center, Castera Bazile. Fascinated by the creative activity of the literally humming institution with its scores of young painters coming in and out, bringing in their work, painting, etc., it was not long before he approached me and asked if he too could try his hand at painting. I told him that he might but that he must finish his housework first. His first painting, which is now in my possession, was a delight. It was a scene of a religious procession in the country, full of light and color and a charming ''naïveté''. Bazile has for a long time now been a painter only, and his three impressive murals in the episcopalian cathedral mark him as the most naturally talented muralist of all the Haitian popular painters. Tall, calm, religious, with a beautifully expressive face, Bazile has made the transition from servant to artist with all the dignity in the world.

Just as the celebrated murals in the cathedral are the culmination of the work of the Haitian popular painters working as a group, the recently completed *Earthly Paradise,* by twenty-two-year old Wilson Bigaud, is the summit of individual realization by a Haitian painter. This now famous canvas, 36 by 48 inches, took five years and a half to complete. It is the first Haitian painting ever to be invited to be shown at the great Carnegie International Exhibition. To date, two major museums have wished to purchase it, as well as innumerable private collectors. But the painting is being reserved for the Carnegie, the most important international exhibition of painting held in the United States. Young Bigaud, a ''protégé'' of Hyppolite's, is the most objective of all the Haitian popular painters and the only one who can tell you precisely how he achieves his marvellous effects of luminous color and plastic depth. In spite of his great success he remains quite unspoiled and continues to live with his pretty young wife and their two children in his minute one-room house in a slum section of Port-au-Prince.

We have gone with some detail into the stories of five of the leading artists of the current art movement in Haiti. There are at least twenty-five other artists who stand out. Amongst these are Toussaint Auguste, Fernand Pierre, Adam Léontus, Préfète Duffaut, Gesner Abélard, Dieudonné Cédor, Jacques Enguerrand-Gourgue, Louverture Poisson, Sénèque Obin (brother of Philomé), and amongst the "advanced" or non-primitive artists, Maurice Borno, Luce Turnier (leading woman painter of Haiti), Pierre Monosiet, Max Pinchinat, Roland Dorcely, Luckner Lazard, Lucien Price, etc. Antonio Joseph should be cited especially for not only is he a brilliant watercolorist but his murals at the hotel Ibo Lélé are outstanding amongst the murals executed by artists of the modern, or advanced group.

What is the future of art in Haiti? After nearly nine years it is clearly evident that Haitians are strongly individualistic and almost all of the artists are evolving along their own individual paths. A few amongst the popular painters have retrogressed due, ironically enough, to the fact that they have had a little more formal education than their "confrères". Easel painting is well established, mural painting is very vigorous, ceramics were introduced at the Center last winter by the distinguished American ceramist, Edith Weynand, and interesting results have been achieved. The technique of clay modeling, first taught at the Center by the young American sculptor Jason Seley, continues to have a few devotees amongst whom may be cited Hilda Williams, Antonio Joseph, Jasmin Joseph. The latter is unique as he is an illiterate former worker in a brick factory and is thus one of the few primitive sculptors. I have been told by experts in the field that some of his work is reminiscent of that of the sculptors of the Han Dynasty, approximately two thousand years ago. On the whole, wood sculpture is not progressing; the craftsmanship is excellent but the taste of the artists has for the most part been channeled for the tourist trade. There is one exception, André Dimanche, an agricultural worker in the South. He alone is inspired by the natural form of the trunks of trees. His work is baroque but with a strange power. Four of the leading artists of Haiti, Luce Turnier, Max Pinchinat, Luckner Lazard and Roland Dorcely are now in Paris working. It may well be that when they return modern painting in Haiti will have a new impulse and a new vitality. But on the whole, Haiti may be proud of what her artists, starting from scratch, have achieved in less than a decade.

Dewitt Peters

La jeep « historique » du Centre d'Art, décorée par quelques artistes. Cela se passait en 1946.

The "historic" Art Center jeep, decorated by several artists. This was in 1946.

Dewitt PETERS

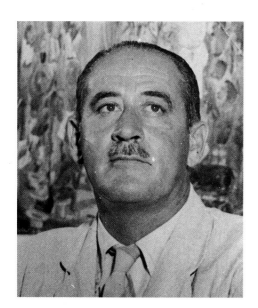

1902 - Né à Monterey en Californie (USA).
1966 - Décédé.

Fils de Charles Rolo Peters, de descendance anglaise et hollandaise.
Reçoit ses premières leçons artistiques de son père. Étudie à l'Art Students' League de New York, avec Maurice Sterne à Rome et avec Fernand Léger, le peintre français qui durant la guerre résidait aux États-Unis.
En 1940, il étudie avec Frédéric Taubes, à San Francisco, en Californie.
En 1943, il arrive en Haïti comme professeur d'anglais. Il est à ce moment-là mobilisé, et désigné à ce poste comme auxiliaire de l'armée américaine, son état de santé ne lui permettant pas d'être affecté sur un théâtre d'opérations de guerre.
Il décide de créer un centre pour les arts et prend contact avec Horace Ashton, directeur de l'Institut américano-haïtien qui ouvre une section consacrée aux arts. Plus tard, dans l'année, Peters quitte l'Institut.
Le 14 mai 1944, après avoir groupé autour de lui Albert Mangonès, Gérald Bloncourt, Géo Remponeau, Maurice Borno, Raymond Coupeau, Raymond Lavelanette, Philippe Thoby-Marcelin, il inaugure le Centre d'art à Port-au-Prince. Dewitt Peters en est le président-fondateur.
C'est un remarquable aquarelliste et un peintre talentueux. Dès 1926, il expose pour la première fois au Sunwise Turn à New York. Il expose aussi dans diverses galeries et musées aux États-Unis, ainsi qu'en Europe, notamment au Salon des indépendants à Paris. Il se révèle, à la tête du Centre d'art, un remarquable pédagogue, et un grand organisateur.
D'une grande culture, il est à la fois profondément humain et d'une extrême courtoisie. Profondément attaché au peuple haïtien, dans son ensemble, il sait déceler les talents les plus divers et les promouvoir sur la scène artistique, laissant trop souvent dans l'ombre ses propres qualités de peintre. S'attachant délibérément aux plus défavorisés dont il a su comprendre — quarante ans d'histoire l'ont prouvé — qu'ils étaient porteurs des réelles valeurs de l'Art haïtien.

1902 - Born in Monterey, California (United States).
1966 - Died.

Peters, the son of Charles Rolo Peters, of English and Dutch ancestry, received his first art lessons from his father, then studied at the Art Students' League in New York, with Maurice Sterne in Rome, with the French painter Fernand Léger during Léger's wartime residence in the United States, and with Frédéric Taubes in San Francisco in 1940.
In 1943, Peters came to Haiti as an English teacher. He had been called up and assigned, as an Army assistance officer, to a teaching position, his health preventing him from taking a more active part in the war.
He decided to found a center for the arts and contacted Horace Ashton, director of the Haitian-American Institute, who opened an art department. Within a year, Peters left the Institute.
On May 14, 1944, Peters inaugurated the Art Center at Port-au-Prince. Among his entourage are Albert Mangonès, Gérald Bloncourt, Géo Remponeau, Maurice Borno, Raymond Coupeau, Raymond Lavelanette, Philippe Thoby-Marcelin.
Dewitt Peters was its president and founder.
He was a remarkable watercolorist and talented painter. His first exhibit was in 1926 at Sunwise Turn in New York. His work was shown in various galleries and museums in the United States and Europe, including the Independent Artists' Salon in Paris. In Haiti, where he headed the Art Center, he displayed remarkable skills as a teacher and organizer.
Highly cultured, he was deeply human and very courteous. Profoundly attached to the Haitian people, he was able to discern the most diverse talents and promote them on the art scene, even to the detriment of his own renown as a painter. He deliberately attached himself to the most deprived, the ones he knew to be the most imbued with the real values of Haitian art, as forty years of history have proven.

Dans cette aquarelle, Dewitt Peters a fixé,
au-delà du bouquet de fleurs préparé par
Castera Bazile, la silhouette de Gérald
Bloncourt perdu dans ses réflexions.

In this watercolor, Dewitt Peters captured
the silhouette of Gérald Bloncourt lost in
thought beyond the bouquet of flowers
prepared by Castera Bazile.

Albert MANGONÈS

1917 - Né le 26 mai à Port-au-Prince.

Il manifeste dès la prime adolescence un don naturel pour le dessin. Durant les années de collège à Saint-Louis-de-Gonzague (entre quatorze et dix-huit ans) il se fait remarquer par les caricatures qu'il exécute de ses professeurs et camarades.
En 1936-1937, il est en Belgique, où il passe une année à la faculté d'agronomie, mais découvrant sa vraie vocation, il s'inscrit à l'Académie des beaux-arts de Bruxelles.
La guerre le surprend en 1939 en Europe, et il se rend aussitôt aux États-Unis où il poursuit des études d'architecture à l'université de Cornell. Se consacrant au dessin, à la peinture et à la sculpture, il gagne un prix de sculpture.
En 1940, il obtient son diplôme d'architecte.
En 1943, il reçoit une première médaille.
Après six mois passés au Mexique, en 1944, c'est le retour en Haïti.
Dès lors, il fait partie des mouvements qui aboutissent à la création du Centre d'art, dont il est un des membres fondateurs et le secrétaire général.
L'une de ses œuvres les plus connues est la sculpture du *Marron de Saint-Domingue*, monument national haïtien situé face au Palais de la présidence à Port-au-Prince.
Président-directeur général de l'ISPAN (Institut de sauvegarde du patrimoine national), il est à l'origine de la restauration des monuments nationaux.

1917 - Born May 26, in Port-au-Prince.

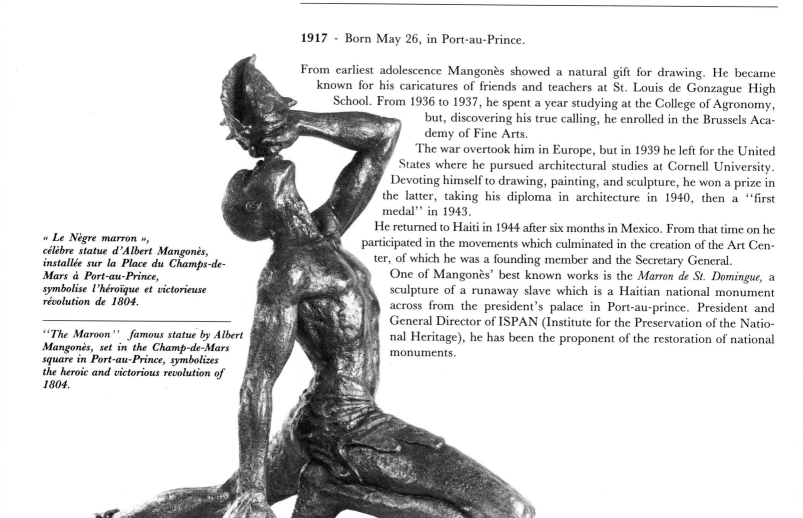

From earliest adolescence Mangonès showed a natural gift for drawing. He became known for his caricatures of friends and teachers at St. Louis de Gonzague High School. From 1936 to 1937, he spent a year studying at the College of Agronomy, but, discovering his true calling, he enrolled in the Brussels Academy of Fine Arts.
The war overtook him in Europe, but in 1939 he left for the United States where he pursued architectural studies at Cornell University. Devoting himself to drawing, painting, and sculpture, he won a prize in the latter, taking his diploma in architecture in 1940, then a "first medal" in 1943.
He returned to Haiti in 1944 after six months in Mexico. From that time on he participated in the movements which culminated in the creation of the Art Center, of which he was a founding member and the Secretary General.
One of Mangonès' best known works is the *Marron de St. Domingue*, a sculpture of a runaway slave which is a Haitian national monument across from the president's palace in Port-au-prince. President and General Director of ISPAN (Institute for the Preservation of the National Heritage), he has been the proponent of the restoration of national monuments.

« Le Nègre marron »,
célèbre statue d'Albert Mangonès,
installée sur la Place du Champs-de-Mars à Port-au-Prince,
symbolise l'héroïque et victorieuse révolution de 1804.

"The Maroon" famous statue by Albert Mangonès, set in the Champ-de-Mars square in Port-au-Prince, symbolizes the heroic and victorious revolution of 1804.

Géo REMPONEAU

1916 - Né à Port-au-Prince.

Il manifeste, très jeune, ses goûts pour le dessin et la peinture.
Encore adolescent il gagne déjà sa vie avec son talent, dessinant et gravant sur linoléum des illustrations pour la presse et la publicité.
En 1939, il reçoit à New York une médaille pour l'une de ses toiles.
En 1942, il voyage aux États-Unis, où il étudie le dessin industriel.
Il est en 1944 l'un des fondateurs du Centre d'art dont il est le trésorier.
Homme affable et d'une gentillesse exceptionnelle, il contribue à la formation de nombreux artistes. C'est probablement l'un de ceux qui a le plus contribué au développement de l'art en Haïti.

1916 - Born in Port-au-Prince.

Remponeau showed an early taste for drawing and painting and was among the first to earn a living with his talent, via drawings and linoleum block illustrations for the press and advertising.
He received a medal for one of his canvases in New York in 1939, and in 1942 travelled to the United States to study industrial design.
He was one of the Art Center's founders in 1944 and became its treasurer.
An affable and kind man, Remponeau helped to train many artists, and is probably one of the most important contributors to the development of art in Haiti.

*Excellent dessinateur,
Remponeau a gardé le respect
de la précision des formes.*

*A master of drawing,
Remponeau has kept all its respect
for preciseness of form.*

*« Le Lamentin ».
Huile exécutée en 1940.
Chez Remponeau,
c'est le dessin qui prime ;
l'exactitude du trait.*

*"Le Lamentin",
Oil done in 1940.
As ever with Remponeau,
precise stroke
and drawing come first.*

Gérald BLONCOURT

Martine Uzan

1926 - Né à Bainet, petit village à l'ouest de Jacmel, dans le sud d'Haïti.

Dès son enfance, il manifeste d'étonnantes dispositions pour le dessin, la peinture, la musique et la poésie. À sept ans, il écrit des vers et participe à des auditions de piano. En 1936, il vient vivre à Port-au-Prince, où ses parents s'installent après le terrible cyclone qui ruina la région de Jacmel.

Dès lors, poursuivant ses études au petit séminaire de Saint-Martial il se consacre à l'aquarelle, à la gravure qui lui est enseignée par Vergniaud Pierre-Noël et Géo Remponeau. Il se lie d'amitié avec Andrée Malebranche et James Petersen avec lesquels il peint des fresques dans une petite chapelle de Pétionville.

En 1943, il rencontre Dewitt Peters et devient membre fondateur du Centre d'art dont il est secrétaire adjoint et l'un des créateurs de la revue du centre : *Studio n° 3.*

À cette époque il travaille pour le journal *la Phalange* comme linotypiste et illustrateur.

Ami de Jacques Stephen Alexis, qui allait devenir un écrivain célèbre, il est l'un des fondateurs de la revue *la Ruche,* dont le jeune poète René Depestre devint le rédacteur en chef. Il participe activement aux « Cinq Glorieuses » de janvier 1946 qui renversèrent le gouvernement Lescot. La même année, chassé d'Haïti par la contre-révolution et la junte militaire, il va en Martinique puis en France. Ses convictions d'avant-garde lui font s'écrier en 1944 devant Dewitt Peters et les autres membres du Centre d'art, fascinés par le tableau devenu célèbre de Philomé Obin, représentant l'arrivée de Roosevelt au Cap-Haïtien : « Il faut donner des pinceaux au peuple ! »

1926 - Born in Bainet, a small town west of Jacmel in the south of Haiti.

From childhood on, he showed an astonishing disposition for drawing, painting, music, and poetry. At seven years of age he was writing verses and giving piano recitals.

In 1936, he accompanied his parents to Port-au-Prince after the terrible hurricane which devastated the Jacmel region that year.

From that time on, he continued his studies at the St. Martial Junior Seminary, where he concentrated on watercolor and etching, taught him by Vergniaud Pierre-Noël and Géo Remponeau. He became friend with the painters Andrée Malebranche and James Petersen, with whom he painted frescoes in a small Pétionville chapel.

Bloncourt met Dewitt Peters in 1943 and became a founding member of the Art Center, where he was also assistant secretary and one of the creators of the Center's magazine, Studio No.3.

« *Langueur* », *aquarelle, 1945.*

''*Languor*'', *watercolor, 1945.*

During this period, he worked for The Phalange newspaper as linotypist and illustrator.

A friend of Jacques Stephen Alexis, later a renowned writer, Bloncourt was one of the founders of the magazine La Ruche, whose editor in chief was the young poet René Depestre. He took an active part in the *Cinq Glorieuses,* the five-day insurgency which overthrew the Lescot government in January, 1946. Chased out of Haiti by the counter-revolution and military junta, he went to Martinique, and then to France in the same year.

In 1944, his progressive convictions prompted him to exclaim in front of Dewitt Peters and the other Art Center members —fascinated by the celebrated painting of Philomé Obin depicting Roosevelt's arrival at Cap-Haïtien: "Give paint brushes to the people!"

« Effondrement », dessin à la plume exécuté en 1944. Cette gravure a servi d'illustration à un article de Pierre Mabille, dans le premier numéro de « Studio n° 3 », revue du Centre d'Art.

"Collapse", pen drawing, 1944. This engraving was used as an illustration to an article by Pierre Mabille in the first issue of Studio No. 3, the Art Center's magazine.

James PETERSEN

Né au Danemark, il est élevé dans la religion protestante. Il se convertit ensuite au catholicisme et devient missionnaire des Pères du Saint-Esprit en Afrique. Il y restera dix ans.

Il arrive en Haïti dans les années 40, s'installe à Port-au-Prince. Professeur au petit séminaire de Saint-Martial, il s'adonne à l'aquarelle.

Ami de Gérald Bloncourt et d'Andrée Malebranche, il forme avec eux un petit groupe qui met en commun ses talents pour décorer de fresques une petite chapelle de Pétionville en 1945.

Ce sont les premières fresques peintes en Haïti. Malheureusement celles-ci ont été blanchies à la chaux en raison de *la Vierge noire* qui avait choqué certains.

En 1943, Bloncourt le présente à Dewitt Peters, et Petersen devient l'un des fondateurs du Centre d'art, où il expose à plusieurs reprises.

Born in Denmark, Petersen was raised a Protestant, then converted to Catholicism and became a missionary with the Fathers of the Holy Spirit in Africa. He lived there for ten years.

He arrived in Haiti in the 1940s and settled in Port-au-Prince, where he taught at Saint Martial Junior Seminary and devoted himself to watercolor.

With his friends Gérald Bloncourt and Andrée Malebranche, Petersen formed a small group which collectively painted frescoes in a little chapel in Pétionville. They were the first frescoes ever painted in Haiti. Unfortunately they were whitewashed because of the Black Virgin, which had shocked some people. In 1943, Bloncourt introduced him to Dewitt Peters, and Petersen became one of the founders of the Art Center, where his work has been exhibited on several occasions.

Maurice BORNO

1917 - Né à Port-au-Prince, le 7 septembre.
1955 - Décédé le 15 décembre.

Son goût pour les arts se révèle dès sa tendre enfance.
À dix-sept ans, ses parents lui donnent un professeur d'arts plastiques. Il passe avec succès sa licence en droit.
En 1944, il commence à peindre à l'ouverture du Centre d'art, dont il est membre fondateur, et il produit avec enthousiasme vingt tableaux en quatre mois !
Il expose à plusieurs reprises avec Luce Turnier. Avec Lucien Price et Pétion Savain, il compte parmi les pionniers de l'art moderne en Haïti.

1917 - Born September 7 in Port-au-Prince.
1955 - Died December 15.

Borno's artistic disposition was clear even in childhood, and when he was seventeen his parents provided an art instructor for him. He begins to paint in 1944, upon the opening of the Art Center, of which he was a founding member, and he enthusiastically produced 20 paintings in four months.
He exhibited on several occasions with Luce Turnier. Along with Lucien Price and Pétion Savain, he was among the pioneers of modern art in Haiti.

« Les Buveurs. » Être anxieux et fragile,
Borno intégrait dans ses personnages
la force et la sérénité
qu'il aurait aimé posséder dans la vie.

''The Drinkers.'' Anxious and frail himself,
Borno put all the strength and serenity
he would have liked to possess
in real life into his characters.

Les premiers artistes
du Centre d'art

Il est difficile de classer rigoureusement tous ceux qui rejoignirent, dès le début, les fondateurs du Centre d'art, peu d'enregistrements de leur date d'adhésion ayant été faits à l'époque.

Aussi, nul ne nous en voudra, si par malheur il n'occupe pas hiérarchiquement la place qui lui revient. Le plus important ayant été de dire ce courant impétueux qui porta un grand nombre de peintres à se grouper autour de Dewitt Peters et de ses premiers collaborateurs.

Voici quelques-uns de ceux qui ont marqué cette période et qui ont contribué par la qualité de leurs œuvres à cette fabuleuse aventure de l'Art haïtien.

Leurs talents, leurs personnalités, leur affection fraternelle, leur volonté commune, ont été les indispensables composantes de ce mouvement.

On a pu dire un jour que le Centre d'art fut une grande famille. Ce fut ô combien vrai ! Chacun put y grandir à l'ombre des autres, s'entraidant, se soutenant, s'épaulant, se respectant et s'aimant.

G.B.

The First Artists
at the Art Center

It is hard to give an accurate account of the artists who joined the Art Center's founders from the beginning, since no records of membership dates were kept at that time. If, by misfortune, some names are not in the proper order, we hope no one will take offense. Most important is the description of that trend of the times that swept so many painters toward Dewitt Peters and his early colleagues, forming this first group.

We present some who left their mark on this period, who by the quality of their work contributed to the fabulous adventure that is Haitian art. Their talents, personalities, fraternal affection and common will were indispensable elements in this movement.

It was once remarked that the Art Center was a large family. How true it is! There, each could grow with the others, through mutual help, respect and love.

G.B.

Lucien PRICE

1915 - Né à Port-au-Prince.
1963 - Décédé le 19 janvier à Port-au-Prince.

Sa vocation artistique est précoce. Il effectue des séjours en France et aux États-Unis, où il se perfectionne. À son retour, il travaille pour l'Office national du café, occupation qui lui permet de parcourir Haïti en tous sens et d'y découvrir ses profondes réalités.
Il entre au Centre d'art dès sa fondation en 1944, et participe à la création de la revue du Centre *Studio n° 3*. Son style d'abord figuratif évolue vers l'abstrait. Il utilise avec rigueur le noir et le blanc, donnant à ses œuvres un ton tragique. Il fut inspiré par les artistes étrangers, Cubains et Sud-Américains, venus en Haïti.
En 1963, croyant son entourage indifférent à son œuvre, il se sent solitaire et incompris. Il se réfugie dans le silence, délaissant peu à peu crayons et pinceaux, tombe malade et meurt à Port-au-Prince.

1915 - Born in Port-au-Prince.
1963 - Died January 19 in Port-au-Prince.

Price had a precocious artistic calling. He travelled to France and the United States, where he perfected his craft. On his return, he worked for the National Coffee Bureau, an occupation which permitted him to travel the length and breadth of Haiti and discover the deep realities of his country. He joined the Art Center at its inception in 1944 and participated in the creation of the Center's magazine, Studio No.3.
His style evolved from the figurative toward the abstract. He made rigorous use of black and white, giving his paintings a tragic tone. Toward the end of his life, believing those around him to be indifferent to his work, Price felt alone and misunderstood. He took refuge in silence, abandoned his pencils and brushes, fell ill and died in 1963 in Port-au-Prince.

Voué à son art juqu'à la folie, Price a vibré dans ses toiles de toutes les fibres de l'abstraite déchirure où il s'est engouffré.

Immersed in his art to the point of madness, Price's work vibrates in every fiber with the abyss that engulfed him.

Pétion SAVAIN

1906 - Né à Port-au-Prince le 15 février.
1975 - Décédé.

Il étudie, à l'école d'Agronomie d'Haïti et est diplômé de l'école de Droit.
Il décide d'apprendre à peindre en 1931, et parallèlement publie en 1939 son premier livre *la Case de Damballah.*
En 1940, son tableau *Marché* reçoit la médaille de bronze à la World's Fair de New York.
Il est à l'Art Students' League de New York pendant un an. En 1942, paraît son second livre *Œuvres nouvelles* .
Il étudie en 1943 la fresque avec Jean Charlot, la détrempe avec Stéphane Hisch et la sculpture sur bois avec John Taylor Arms.
Son style très personnel a été copié par de nombreux artistes haïtiens, mais ses roses et ses violets sont reconnaissables, de même que son utilisation de demi-cercles et de triangles dans lesquels s'inscrivent des personnages assis ou accroupis.

1906 - Born in Port-au-Prince.
1975 - Died in Haiti.

Savain studied at the Haitian School of Agronomy and earned a law degree. He decided to learn painting in 1931, and in 1939 published his first book, *La Case de Damballah.*
In 1940 his painting entitled *Market* won a bronze medal at the New York World's Fair.
He studied at the Art Students' League in New York in 1941, where his second book, *Œuvres Nouvelles,* was published a year later. In 1943 Savain was studying fresco technique with Jean Charlot, tempera painting with Stephane Hisch and wood sculpture with John Taylor Arms.
Savain's very personal style has been copied by many Haitian artists, but his pinks and purples are instantly recognizable, as is his use of semicircles and triangles in which painted figures crouch or sit.

Dans cette scène de marché (1967), le continent noir revit dans l'espace courbe, les postures, les visages et les objets.

In this market scene (1967), the Black Continent lives again in the curving space, the stances, the faces and objects.

Luce TURNIER

1924 - Née à Jacmel, le 24 février.

Vers 1937, à la suite du terrible cyclone qui ravagea le sud d'Haïti, sa famille vient s'établir à Port-au-Prince.

Elle entre au Centre d'art en 1945 et y expose pour la première fois en 1946 avec Maurice Borno.

Elle bénéficie de diverses bourses (1947, bourse de la Rockfeller Foundation de New York, 1951, bourse du gouvernement français, et 1952, bourse du gouvernement haïtien).

Elle expose ensuite à Bonn, Brême, Hambourg en 1953, et épouse en 1954 le peintre italien Eugenio Carpi de Resmini dont elle a deux enfants.

En 1965, elle épouse en secondes noces le peintre français Christian Lemesle qui a une forte influence sur son travail et sa perfection technique.

Après plusieurs expositions, elle s'intéresse à la technique du « collage » en 1967.

Elle revient en Haïti en 1972 où elle acquiert une grande notoriété dans le pays ainsi qu'à l'étranger.

Elle expose, en 1978, à l'Institut français d'Haïti et participe à toutes les expositions de femmes peintres et à celles du Centre d'art.

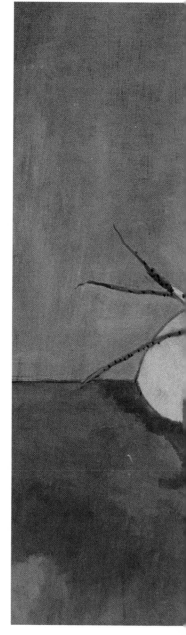

Sans tons heurtés, les toiles de Luce Turnier sont solidement construites et très équilibrées. « Les cocoyers » datent de 1983 et montrent bien la maîtrise à laquelle elle est parvenue.

With no clashing colors, Luce Turnier's paintings are soundly constructed and well-balanced. ''Les Cocoyers'' was done in 1983 and shows off the mastery she has achieved.

1924 - Born February 24 in Jacmel.

In 1937 her family came to Port-au-Prince after the hurricane which ravaged the south of Haiti. She joined the Art Center in 1945 and exhibited for the first time in 1946, with Maurice Borno. She was granted several scholarships (Rockefeller Foundation, N.Y., 1967 ; French governement, 1951 ; Haitian governement, 1952). In 1953 her work was exhibited in Bonn, Bremen and Hamburg. In 1954 she married the Italian painter Eugenio Carpi de Resmini, with whom she has two children. Her second husband, the French painter Christian Lemesle, whom she married in 1965, has had a strong influence on her worth and technical development. After several exhibitions, she became interested in collage in 1967. Since her return to Haiti in 1972 she has became increasingly famous within the country and overseas.
In 1978 she exhibited at the French Institute of Haiti and participated in various exhibits of women painters.

Antonio JOSEPH

1921 - Né à Barahona, république Dominicaine, de père et de mère haïtiens.

Il fait ses études primaires et le soir apprend la musique.
En 1937, il s'installe en Haïti avec sa famille et travaille comme apprenti tailleur, puis comme tailleur à Port-au-Prince. Il s'inscrit en 1944 au Centre d'art où il apprend l'aquarelle avec Peters. Il développe rapidement un style personnel et devient membre du conseil d'administration du Centre.
Tout en exerçant son métier de tailleur, il poursuit ses recherches picturales et étudie la sculpture avec Jason Seley.
De 1945 à 1949, il travaille avec Pierre Bourdelle à un projet de peinture murale pour le bicentenaire de Port-au-Prince.
En 1952, il abandonne son échoppe de tailleur avec l'assistance financière du Centre d'art pour se consacrer entièrement à son art.
Il étudie les techniques de peinture à la caséine avec l'artiste américain Paul Keen.
Successivement en 1953 et 1957, il est lauréat de la fondation Guggenheim. En compagnie de Dewith Peters, il voyage au cours de l'année 1961 et séjourne aux États-Unis, en France, en Espagne, en Italie, en Grèce, au Maroc, en Allemagne et en Suisse.
De 1963 à 1969, il fait de nombreux séjours aux États-Unis où il étudie la sérigraphie avec Franck Jacobson.
Membre du conseil d'administration du musée d'Art haïtien du collège Saint-Pierre depuis 1972, il enseigne le dessin et la sérigraphie au Centre d'art.
De 1945 à 1978 il expose en Haïti, aux États-Unis, au Mexique, à la Jamaïque et en Espagne. Ses œuvres font partie de la collection permanente du musée d'Art haïtien du collège Saint-Pierre.

1921 - Born in Barahona, Dominican Republic.

Joseph, of Haitian parentage, spent his childhood in the Dominican Republic, where he has completed his early schooling and studied music in the evenings. In 1937 he settled in Haiti with his family. In Port-au-Prince he worked as an apprentice tailor and later a tailor.
In 1944, Joseph joined the Art Center, studying watercolor under Dewitt Peters and rapidly developing a style of his own. He became a member of the Art Center's administrative council. Still a practicing tailor, he continued his pictorial research and studied sculpture with Jason Seley. He worked with Pierre Bourdelle on a mural painting project for Port-au-Prince's bicentennial, from 1945 to 1949. With the financial assistance of the Art Center, he gave up his tailor's shop in 1952 to devote himself fully to his art.
Joseph studied casein painting techniques with the American artist Paul Keen and received two Guggenheim Foundation awards, in 1953 and 1957. With Dewitt Peters, he travelled to the United States, France, Spain, Italy, Greece, Morocco, Germany and Switzerland in 1963, and from that year to 1969 he returned often to the United States, where he studied serigraphy with Franck Jacobson.
He became a member of the administrative council of the Museum of Haitian Art at St. Pierre's College in 1972 and later began teaching drawing and serigraphy at the Art Center. His work has been exhibited in Haiti, the United States, Mexico, Jamaica and Spain, and is represented in the permanent collection of the St. Pierre's College Museum of Haitian Art.

« Paysage grec » | ''Greek Landscape''.

Ci-contre : « Rue de Jacmel ».

Opposite, ''Street in Jacmel''.

Tamara BAUSSAN

1909 - Née à Bakou en Russie.

Elle étudie la peinture dès son jeune âge sous la direction de professeurs privés.
Venue à Paris, elle entre à l'académie Jérôme. Elle épouse l'architecte haïtien Robert Baussan et réside en Haïti depuis 1931. Elle est parmi les premières femmes à participer aux activités du Centre d'art auquel elle continue de collaborer. Elle participe à la plupart des expositions du Centre et est très connue pour ses dessins au fusain, ses natures mortes et ses paysages sous-marins.
Elle réalise également des sculptures.

1909 - Born in Bakou, Russia.

Baussan studied painting as a child under private instructors.
She travelled to Paris to study at the Jérôme Academy. She married Haitian architect Robert Baussan and since 1931 has lived in Haiti. She was among the first women to participate in the Art Center, where she continues to be active. Baussan's work has been included in most of the Art Center's exhibitions. She is well known for her charcoal drawings, still life works and undersea landscapes as well as her sculpture.

Nature morte. Cette œuvre date des premières années du Centre d'Art.

Still Life. This work is from the Art Center's earliest years.

Andrée G. NAUDÉ

1904 - Née en Belgique.

Elle fait toutes ses études à Paris où elle se consacre ensuite à la peinture, travaillant dans plusieurs académies (Julian, Grande Chaumière, Scandinave) et dans l'atelier de peintres connus : Henry de Waroquier, Othon Friesz et, plus tard, André Lhôte...

De 1928 à 1931, elle expose à Paris, au Salon des Tuileries, au Salon d'automne, puis avec les peintres du Grand Morin et en Grèce avec un groupe de jeunes peintres travaillant à Paris. Elle vit en Haïti depuis 1931. Elle crée un atelier À la Tête de l'Eau, que fréquentent régulièrement les femmes peintres d'Haïti. Dès la création en 1944 du Centre d'art d'Haïti, Andrée Naudé participe aux manifestations qui y ont lieu. Elle expose au Cap-Haïtien avec Tamara Baussan et Hélène Schomberg. De 1963 à 1985, elle expose sans interruption dans de nombreux pays : Brésil, Chili, république Dominicaine, États-Unis, Canada (où en 1978, son exposition « 50 ans de peinture » fut une rétrospective inauguré par Pierre Monosiet, directeur du collège Saint-Pierre). En Haïti, elle est présente en permanence à la galerie Marassa et à la galerie Mapou.

Elle participe aux diverses expositions des femmes peintres.

Loin de la spontanéité des naïfs, ce peintre construit selon une architecture puissante des œuvres où la lumière joue comme à travers les facettes d'un prisme.

Far removed from the spontaneity of the naive artists, this painter constructs his work according to a powerful architecture on which light dances as it does through the sides of a prism.

1904 - Born in Belgium.

Naudé was schooled in Paris where she devoted herself to painting, attending several academies (Julian, Grande Chaumière, Scandinave) and working in the studios of well-known painters such as Waroquier, Friesz and later André Lhote.

Between 1928 and 1931, Naudé exhibited in Paris at the Salon des Tuileries, the Autumn Salon, with the Grand Morin painters, and in Greece with a group of young painters working in Paris.

She has lived in Haiti since 1931, and has established a studio in Tête de l'Eau which has become a gathering place for many of Haiti's woman painters.

With the creation of the Art Center in 1944 she began taking part in its exhibitions and also exhibited in Cap-Haïtien with Tamara Baussan and Helen Schomberg.

From 1963 to 1985, Naudé's work has been on permanent exhibit in numerous countries: Brazil, Chile, the Dominican Republic, the United States and Canada, where a solo exhibition of her work, *50 Years of Painting*, took place in 1978, inaugurated by Pierre Monosiet.

In Haiti, as well, her work is present in various permanent collections, notably at the Marassa and Mapou galleries. She has taken part in many exhibitions featuring female painters.

Marie-José NADAL-GARDÈRE

1931 - Née à Port-au-Prince, le 22 avril.

Elle est en 1944 l'une des premières artistes du Centre d'art, exposant à treize ans et demi. Elle se rend en France en 1948 pour y poursuivre ses études à Bouffémont (près de Paris), puis à Montréal, au Canada. En 1950, elle étudie à Ottawa avec Robert Hydman et Henri Masson. Après un arrêt de huit ans, elle travaille en 1959 avec Michèle Manuel. Dix ans plus tard, elle étudie la céramique à Poto-Mitan, puis réalise des sculptures en métal à l'atelier de Raymond Menos. En 1975, elle ouvre la Petite Galerie, pour promouvoir et exposer l'art moderne. Cette galerie ferme en 1977, elle ouvre alors avec sa fille Michèle Frisch la galerie Marassa à Pétionville.
Elle est l'une des instigatrices du groupe « Les femmes peintres ». Mouvement qui s'est propagé aux États-Unis grâce à Lois Maïlou Jones Pierre-Noël.
De 1944 à 1984, elle expose en Haïti, aux États-Unis, au Canada, au Brésil, en Espagne, en république Dominicaine, en France et au Surinam, puis en Martinique, en Guadeloupe et à Porto Rico.
Elle reçoit le deuxième prix du Salon Esso, à Port-au-Prince, en 1965 avec *l'Oiseau noir.*
Un de ses tableaux *Paysage spatial* a été choisi pour faire partie de la collection du musée de Rennes, en France.
Son œuvre *l'Ancêtre* appartient au musée d'Art haïtien du collège Saint-Pierre.

1931 - Born April 22 in Port-au-Prince.

Nadal-Gardère became one of the earliest members of the Art Center in 1944, exhibiting for the first time at thirteen and a half years of age. She studied in France at Bouffémont for two years beginning in 1948, then in Canada with Robert Hydman and Henri Masson. After a hiatus of eight years, she worked with Michèle Manuel in 1959. Ten years later she studied ceramics at Poto-Mitan and took up metal sculpture under Raymond Menos.
In 1975, Nadal-Gardère opened the Petite Gallery for the promotion and exhibition of modern art; it operated until 1977, when she opened the Marassa Gallery in Pétionville with her daughter, Michèle Frisch. Nadal-Gardère is among the proponents of the "Women Painters" group, which later went on to the U.S. via Lois Maïlou Jones Pierre-Noël.
From 1944 to 1984 the exhibited in Haiti, the United States, Canada, Brazil, Spain, the Dominican Republic, France and Surinam, then in Martinique, Guadeloupe and Puerto Rico. She received second prize at the 1965 Esso Salon in Port-au-Prince for *Black Bird.*
One of her paintings, *Spatial Landscapes,* was selected by the museum of Rennes, France for its collection. Her painting *The Ancestor* belongs to the collection of the Museum of Haitian Art at St. Pierre's College.

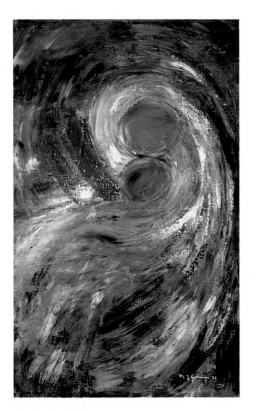

« *Maternité* ». 1975.

"*Motherhood*", 1975.

Ci-contre, en haut : « Christ » : 1964.
Profondément imprégnée de sa foi religieuse,
Marie-José Nadal-Gardère a souvent été
inspirée par ses sentiments mystiques.
En bas : « L'oiseau Noir ». 1965.

Opposite above, "Christ", 1964. Steeped in
her faith, Marie-José Nadal-Gardère is often
inspired by mystical sentiments.
Below, "The Black Bird", 1965.

Hilda WILLIAMS

*À la fois peintre et sculpteur,
Hilda Williams est connue
pour ses créations miniaturisées.*

---

*Both a painter and sculpter,
Hilda Williams is famous
for her miniature creations.*

1924 - Née à Port-au-Prince, le 28 janvier.

En 1944, elle entre au Centre d'art et y étudie la peinture avec Maurice Borno, Géo Remponeau et Lucien Price. En 1949, elle apprend la sculpture avec l'Américain Jason Seley et plus tard avec Amerigo Montagutelli, fondateur de l'Académie des beaux-arts. Depuis plusieurs années elle vit au Mexique où elle continue à peindre et à sculpter. Elle a participé à plusieurs expositions au Centre d'art et aux Beaux-Arts ainsi qu'au musée du collège Saint-Pierre. Ses sujets favoris sont surtout les enfants, et ses œuvres, très rares, sont très demandées.

1924 - Born January 28 in Port-au-Prince.

Williams joined the Art Center in 1944 and studied painting with Borno, Remponeau and Price. In 1949, she studied sculpture with the American Jason Seley and later with Montagutelli, founder of the Academy of Fine Arts. For the last several years she has lived in Mexico where she continues to paint and sculpt. She has participated in a number of exhibitions at the Art Center and the Academy of Fine Arts as well as at the Museum of Haitian Art at St. Pierre's College. Her favorite subjects are children, and her works, limited in number, are in great demand.

Andrée MALEBRANCHE

1920 - Née à Port-au-Prince.

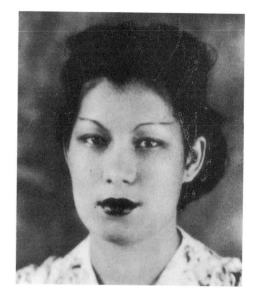

Elle termine ses études par l'École normale d'institutrices en 1938.
Elle expose cette année-là pour la première fois au Cercle de Port-au-Prince puis en 1940 à Cuba et en 1941 à Mexico.
Avec James Petersen et Gérald Bloncourt elle participe aux premières fresques peintes dans le pays, à la chapelle Sainte-Marie-Thérèse de Pétionville en 1945. Œuvre détruite quelques années plus tard en raison de sa *Vierge noire* qui déplaît au successeur de l'ancien curé. Membre du Centre d'art dès le début, elle y expose une série de toiles qui montrent les mœurs simples et douces des campagnes haïtiennes.
On a pu dire d'elle, au début de sa carrière, qu'elle mêlait profondément à sa conception si troublante de la peinture une puissante force mystique qui la poussait à des créations pleines de piété : *la Madone bleue, la Vierge et l'Enfant* puis *la Vierge au rocher*. Ce dernier tableau est unique en son genre : elle utilise des couleurs vives masquées faiblement par un fond où domine toute la gamme des gris et des violets.
Des visages de paysannes, des corps souples, vibrant mystérieusement sur des fonds presque toujours sombres, caractérisent son œuvre.
Cependant dans une série de portraits elle se sert d'une palette plus claire. Mais pour *Marie-José* elle revient aux tons bruns. Cette toile, appelée par les artistes du Centre d'art, « La Joconde haïtienne », ainsi que *Tambour nègre* ont largement contribué à faire connaître cette artiste qui occupe une place originale dans l'Art haïtien.

1920 - Born in Port-au-Prince.

Malebranche completed her studies at the Teachers' Normal School in 1938. The same year she exhibited for the first time at the Port-au-Princian Circle. Her work was then shown in Cuba (1940) and Mexico (1941). With James Petersen and Gérald Bloncourt she participated in producing the country's first frescoes, at the Sainte Thérèse chapel in Pétionville in 1945. The work was destroyed a few years later because of her *Black Virgin*, which met with the disapproval of the chapel's new priest. A member of the Art Center from the beginning, Malebranche had an exhibit there of paintings depicting the kind and simple customs of Haitian country dwellers.
It was said of her early in her career, that she mingled into her provocative conception of painting a potent mystical force which stirred her to creations imbued with piety: *The Blue Madonna, Virgin and Child, The Virgin on the Rock*. This last is unique. In it the artist employs vivid colors faintly masked by a ground where a spectrum of greys and purples predominates. Her work is characterized by heads of rustics, supple bodies vibrating mysteriously against a nearly always dark background. In a series of portraits, however, she makes use of a lighter palette, returning to brown tones for *Marie-José*. This canvas, called the *Haitian Giaconda* by those at the Art Center, and another, *Black Drum,* have contributed greatly to the renown of this artist who continues to occupy a unique position in Haitian art.

Modeste, Andrée Malebranche a vécu dans l'ombre de son atelier. Son œuvre importante est empreinte du calme des grandes solitudes. « Jeune fille endormie » (1944).

André Malebranche lived modestly overshadowed by his own gallery's importance. His significant works are steeped in the silence of deep solitude. "Young Woman Asleep" (1944).

Louverture POISSON

1914 - Né aux Cayes.
1984 - Décédé.

Il vient à Port-au-Prince en 1942 pour s'enrôler dans l'aviation militaire.
En 1948, il entre au Centre d'art.
L'un de ses tableaux la *Toilette paysanne* l'a fait reconnaître comme l'un des meilleurs peintres de sa génération.
Il a participé à de nombreuses expositions en Haïti et à travers le monde entier.

1914 - Born in Cayes.
1984 - Died.

Poisson came to Port-au-Prince in 1942 to enlist in the Air Force and joined the Art Center in 1948.
One of Poisson's paintings, *la Toilette paysanne,* assured his recognition as one of his generation's best painters. He has participated in numerous exhibits in Haiti and throughout the entire world.

Sans jamais tricher avec l'environnement modeste des intérieurs haïtiens, le peintre a su magnifier la grâce des corps et des attitudes.

Without ever distorting the simplicity of the Haitian home, the painter emphasized the grace of the human body and its attitude.

Xavier AMIAMA

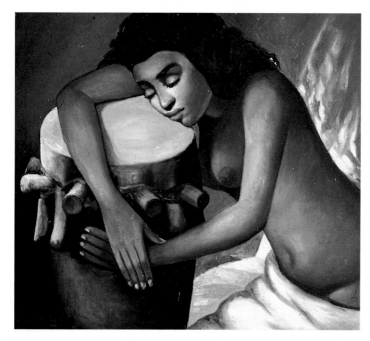

« *La femme au tambour* ». | *"Woman with a Drum"*.

1910 - Né à Santo Domingo, en république Dominicaine.
1969 - Meurt en Haïti.
Après plusieurs expositions à Santo Domingo, il arrive en 1935 à Port-au-Prince où il s'installe et enseigne la peinture. Il encourage Pétion Savain à participer à l'exposition de la World's Fair de New York en 1939. Devenu membre du Centre d'art, il participe à plusieurs expositions de groupe. En juin 1945, il y organise un « one man show ». En mars 1951, il y expose avec les vétérans de l'armée américaine.

1910 - Born in Santo Domingo, Dominican Republic.
1969 - Died in Haiti.

After numerous single artist shows in Santo Domingo, Amiama settled in Port-au-Prince in 1936 to teach painting. He encouraged Pétion Savain to participate in the 1939 New York World's Fair. He was among the original members of the Art Center and participated in several of its group exhibitions.
In June of 1945 he held a single artist show at the Art Center, and exhibited with American army veterans in March of 1951.

Luckner LAZARD

1928 - Né à Port-au-Prince.

De 1945 à 1950, il étudie la peinture et la sculpture au Centre d'art.
Il obtient en 1951 une bourse pour Paris, et y reste jusqu'en 1953.
De 1953 à 1956, il expose à l'Institut français de Mexico, à la Gallery Zegri de New York, au Condado Beach Hotel à San Juan de Porto Rico. Il participe à des expositions de groupe en Allemagne, en Espagne, à Paris, au Brésil, à Cuba, à Porto Rico, aux îles Vierges, aux États-Unis et au Canada.
En 1956, il fonde la galerie Brochette.
En 1966, il émigre aux États-Unis, où il vit actuellement. Il est membre de Diacoute Association. Il expose en 1976 au Paul Robeson Multimedia Center à Washington, en 1979 au Foyer des arts d'Eaton à Montréal et en 1978 à l'Institut français d'Haïti.
Il obtient divers prix aux concours organisés par la Pan American Airways, l'Office national du tourisme et l'Alcoa Steamship Company.

1928 - Born in Port-au-Prince.

Lazard studied painting and sculpture at the Art Center from 1945 to 1950, then received a scholarship to study in Paris in 1951 where he stayed for two years. From 1953 to 1956 he exhibited at the French Institute in Mexico, the Zegri Gallery in New York and the Condado Beach Hotel in San Juan, Puerto Rico. He also participated in group exhibition in Germany, Spain, Paris, Brazil, Cuba, Puerto Rico, the Virgin Islands, the United States, and Canada.
In 1956, he founded the Brochette Gallery.
In 1956, Lazard emigrated to the United States, where he still lives. He became member of the Diacoute Association. He had exhibitions at the Paul Robeson Multimedia Center in Washington, D.C. in 1976, the Eaton Hall of Arts in Montreal in 1979, and the French Institute of Haiti in 1978.
He has won various prizes in competitions organized by Pan American Airways, the National Tourist Office, and Alcoa Steamship Company.

Il faudrait inventer le mot « fantasmagie » pour définir la façon dont Luckner Lazard restitue l'atmosphère des campagnes haïtiennes.

The word ''fantasmagical'' should be invented to describe the way Luckner Lazard renders the atmosphere of the Haitian countryside.

Dieudonné CÉDOR

1925 - Né à l'Anse-à-Veau le 8 mars.

Il entre au Centre d'art en 1947 et fait partie l'année suivante du comité d'administration.
De nombreuses expositions jalonnent sa carrière : en 1951 au Guatemala, en 1952 à Mexico, en 1955 à la biennale de Cuba. Avec dix-neuf autres peintres haïtiens il participe à des expositions en Allemagne, en Belgique et en Hollande au cours de l'année 1963.
Il obtient un prix de l'exposition du département du Travail à Haïti en 1953, une lettre de compliments du vice-président Richard Nixon en 1957 et la même année le grand prix du Travail (Office du tourisme) à Haïti.
Il expose en 1969 à Miami, puis de 1971 à 1975 aux États-Unis, au Venezuela, en Colombie et à Panama.
Il réalise une œuvre murale à l'aéroport international de Port-au-Prince en 1967.
Il est considéré comme l'un des chefs de file des peintres contemporains et expose en permanence à la Susuki Gallery de New Jersey, au musée d'Art haïtien du collège Saint-Pierre ainsi qu'aux galeries Nader et Marassa d'Haïti.

1925 - Born March 8 in Anse-à-Veau.

Cédor joined the Art Center in 1947 and the following year served on its administrative committee. Between 1949 and 1975 his work was extensively exhibited at home and abroad: Guatemala (1951), Mexico (1952), the Cuban biennial (1955). With 19 other Haitian painters he participated in exhibits in Germany, Belgium and Holland in 1968.
He received the Labor Department Exhibition Prize, Haiti (1953), a complimentary letter from U.S. Vice President Richard Nixon (1957), and the Grand Work Prize of the Office of Tourism, Haiti (1957).
His work was exhibited in Miami in 1969 and from 1971 to 1975 was shown in the United States, Venezuela, Colombia and Panama. Cédor executed a mural for the International Airport, Haiti (1967). He is considered one of the leading contemporary painters. There are permanent displays of his creations at the Susuki Gallery (New Jersey), the Nader and Marassa Galleries and the Museum of Haitian Art at St. Pierre's College.

Incendiaire Dieudonné Cédor,
virtuose de la transparence des couleurs !
Utilisant la lumière
pour enflammer un paysage !

The passionate Dieudonné Cédor,
the virtuoso of transparent color !
He sets fire to his landscape with light !

Pierre PAILLIÈRE

« *Pins de flamme* » *où l'artiste nous montre le travail acharné des* « *gouverneurs de la rosée* »...

''*Pines of Flame''*, *in which the artist shows us the rugged work of the* ''*gouverneurs de la rosée''*...

1904 - Né à Port-au-Prince le 3 septembre.
1958 - Décédé le 19 août à Pétionville.

Devenu ingénieur, il travaille aux Ponts et Chaussées.
Il voyage à travers Haïti et aux États-Unis en 1952 et à son retour se met à dessiner et à peindre. Il succède à Léon Bance comme professeur de dessin aux lycées Pétion et Anténor Firmin. Il a fréquenté le Centre d'art dès sa création, se liant d'amitié avec James Petersen et Lucien Price qu'il suivra au Foyer des arts plastiques.
En 1957, il expose au Centre d'art avec Gesner Armand et participe à des expositions du groupe. Il utilise pour ses tableaux l'encre, le pastel et l'huile. Il a su rendre à la perfection l'intense luminosité de l'azur caraïbe. Il s'est beaucoup intéressé à la vie paysanne.

1904 - Born September 3 in Port-au-Prince.
1958 - Died August 19 in Pétionville.

Paillière, an engineer, worked for the Bridge and Road Department. He travelled throughout Haiti and to the United States in 1952. Upon his return he devoted himself to drawing and painting, eventually succeeding Léon Bance as drawing instructor at the Pétion and Antenor Firmin High Schools.
Paillière was a regular at the Art Center from its inception, becoming friends with James Petersen and Lucien Price, whom he later followed to the Hall of Plastic Arts. In 1957 his work was exhibited at the Art Center along with that of Gesner Armand, and in several group shows. His work is in ink, pastels and oils. He communicated the azure luminosity of the Caribbean perfectly and was deeply interested in the life of country people.

Jacques ENGUERRAND-GOURGUE

1931 - Né à Port-au-Prince.

Très jeune, il commence à peindre dès la fin de ses études primaires et accède à la célébrité internationale.
À dix-sept ans, il participe à une exposition collective au musée d'Art moderne de New York. Il reçoit en 1949 une médaille d'or à l'occasion de l'exposition du bicentenaire de Port-au-Prince.
Il peint des cérémonies vaudou, des fleurs, des scènes de la vie paysanne. C'est un angoissé et son œuvre reflète son sens du tragique.
Il a vécu quelques années en Espagne mais il n'a nullement été influencé par ce pays car sa peinture, quoique en évolution constante, est restée égale à elle-même.
Il a exposé de 1961 à 1970 en Allemagne, au Canada, en Colombie, en république Dominicaine, en Espagne, aux États-Unis, en Italie, à Porto Rico, au Venezuela, en Yougoslavie.
Il est incontestablement l'un des chefs de file de la peinture moderne haïtienne.

1931 - Born in Port-au-Prince.

Gourgue started painting when barely out of primary school and became a world renowned artist. At 17 he took part in a group show at the Museum of Modern Art in New York. In 1949 he won the gold medal at an exhibition for Port-au-Prince's Bicentennial.
He painted Voodoo ceremonies, flowers, scenes of rural life. His work reflects an anguished man's sense of the tragic. He lived several years in Spain but remained uninfluenced by that country since his painting, though ever evolving, was on its own track.
From 1961 to 1970 he exhibited in Germany, Canada, Colombia, the Dominican Republic, Spain, the United States, Italy, Puerto Rico, Venezuela and Yugoslavia. He is beyond dispute one of the leading figures in Haitian modern painting.

Fabien Moravia

Marine et sous-bois (ci-contre),
l'univers de Gourgue nous enferme,
nous entraîne dans les méandres
de sa surréalité.
C'est un envoûtement.

Underwater and through
undergrowth (opposite), Gourgue's universe
sweeps us into the convolutions of
his own surreal.
What an enchantment !

Pierre MONOSIET

1922 - Né à Port-au-Prince, le 21 avril.
1983 - Décédé le 11 décembre.

Il s'adonne dès 1952 à l'aquarelle avec Géo Remponeau au Centre d'art où il expose ses œuvres. Il obtient cette année-là une bourse de l'Institut de l'éducation internationale pour étudier l'administration des musées aux États-Unis.
À son retour il devient assistant de Dewitt Peters au Centre d'art.
Il obtient en 1963 une nouvelle bourse pour compléter ses études de muséographie et se rend en Allemagne.
Il devient en 1972, directeur de The Art Lovers Gallery à Port-au-Prince et est nommé conservateur du musée d'Art haïtien du collège Saint-Pierre et consultant au Centre d'art. Cette même année il devient également membre de la Commission nationale haïtienne de coopération avec l'Unesco.
De 1976 à 1979, il accumule un grand nombre de décorations et de distinctions de diverses organisations internationales.
Il demeure le remarquable animateur et organisateur du musée du collège Saint-Pierre qui est incontestablement, le « temple » de l'Art haïtien.

1922 - Born April 21 in Port-au-Prince.
1983 - Died in December.

Monosiet took up watercolor under Géo Remponeau at the Art Center, which exhibited his work. The same year, he received an international éducation scholarship to study museum administration in the United States. Upon his return he was made assistant to Dewitt Peters at the Art Center.
In 1963, he was granted another scholarship to complete his training in museography and travelled to Bad-Wurtemberg, Germany. Monosiet became director of the Art Lovers' Gallery in Port-au-Prince in 1972, and was named curator of the Museum of Haitian Art at St. Pierre's College and consultant to the Art Center. Also in 1972, he was named to the Haitian National Commission for Cooperation in UNESCO. From 1976 to 1979 he amassed a great number of decorations and distinctions from various international organizations.
His key role remained that of organizer and moving force in the Museum of Haitian Art at St. Pierre's College, which is a veritable ''temple'' of Haitian art.

Tel homme, telle peinture ! Délicate, simple, presque modeste, mais parfumée d'une sensible et ardente lumière...

The painting is like the man. Delicate, simple, yet embaumed with a sensitive and ardent light.

Lois Maïlou JONES PIERRE-NOËL

1919 - Née à Boston, États-Unis.

Elle commence ses études dans les écoles de cette région et est élève de la High School of Practical Arts, puis de nombreuses autres institutions.
En 1930, elle entre au département d'Art de l'université Howard dont l'expansion lui doit beaucoup. Elle obtient deux bourses de recherches pour étudier l'art contemporain haïtien, l'art afro-américain et celui de dix pays d'Afrique.
Pendant les années 1937-1938, elle vit à Paris et étudie à l'académie Julian.
En 1953, elle épouse Vergniaud Pierre-Noël, dessinateur haïtien de grand talent connu pour les nombreux timbres qu'il a gravés. En 1954, le gouvernement d'Haïti lui décerne le diplôme et la décoration de l'ordre national Honneur et Mérite, au grade de chevalier.
En 1962, elle obtient un certificat d'études supérieures à l'académie de la Grande Chaumière à Paris.
Artiste prolifique, Lois Maïlou Jones a fait cinquante expositions depuis 1937, dans des lieux tels que Paris, Haïti, le Pakistan, le Luxembourg, la Turquie, Moscou, la Tanzanie, le Zimbabwe et le Nigeria. En 1973, son exposition au Museum of Fines Arts de Boston est une rétrospective couvrant quarante années de peinture. Elle devient ainsi le premier artiste noir à exposer individuellement dans ce musée.
Elle a beaucoup encouragé les artistes haïtiens en les invitant à exposer aux États-Unis et en les faisant connaître par des conférences dans les universités américaines.

1919 - Born in Boston.

Lois Maïlou Jones began her schooling in New England, attending the High School of Applied Arts and numerous other art schools. In 1937 and 1938, she studied at the Julian Academy in Paris. In 1930, Jones joined the art department at Howard University, whose subsequent expansion owes much to her presence. She received two research grants to study Haitian and Afro-American contemporary art as well as that of ten African countries. In 1953, she married the talented Haitian artist Vergniaud Pierre-Noël, known for his engravings reproduced as postage stamps. The following years, she was awarded the Diploma and Decoration of the National Order of Honor and Merit, receiving the rank of "Chevalier" from the Haitian government. She received a certificate of advanced studies from the Grande Chaumière Academy, Paris, in 1962.
A prolific artist, Jones has had 50 exhibitions since 1937 in such places as Paris, Haiti, Pakistan, Luxembourg, Turkey, Moscow, Tanzania, Zimbabwe and Nigeria. She had a retrospective exhibit covering forty years of painting at Boston's Museum of Fine Arts in 1973, and thus became the first black artist to have a solo exhibit in that museum. She has been a great source of encouragement to Haitian artists, inviting them to exhibit in the United States.

« *Vévé Vaudou III* ».

"*Vévé Voodoo III*".

Gesner ARMAND

1936 - Né à Croix-des-Bouquets, le 11 juin.

Il entre très jeune au Centre d'art où Pierre Monosiet l'initie à l'aquarelle. Il séjourne à Mexico de 1958 à 1960.

Il obtient en 1960 une bourse du gouvernement français et vit à Paris jusqu'en 1962.

En 1962, il retourne en Haïti où il s'installe à la Croix-des-Bouquets. Il est actuellement directeur du musée d'Art haïtien du collège Saint-Pierre.

De 1957 à 1985, il expose presque sans interruption en Haïti, au Mexique, aux États-Unis, à Paris, en Espagne, à la Jamaïque, à la Martinique, au Venezuela, à la Barbade, en république Dominicaine, en Guadeloupe et en Israël.

Il est connu pour ses scènes paysannes et ses carnavals. Peintre des pigeons de toutes les couleurs, il est inspiré, par la luminosité de son pays qui éclate dans toutes ses toiles.

1936 - Born June 11 in Croix-des-Bouquets.

Armand was quite young when he joined the Art Center, where Pierre Monosiet introduced him to watercolor. He spendt the period from 1958 to 1960 in Mexico. In 1960 he was awarded a scholarship from the French government and lived in Paris until 1962. He returned to Haiti that year, and settled in Croix-des-Bouquets. He is currently director of the Museum of Haitian Art at St. Pierre's College.

From 1957 to 1975 he exhibited continuously in Haiti, Mexico, the United States, Paris, Spain, Jamaica, Martinique, Venezuela, Barbados, the Dominican Republic, Guadeloupe and Israel.

Known for his paintings of peasant life, carnivals, and pigeons in all colors, Armand is stimulated by the luminous quality of his country, which shines forth in all his canvases.

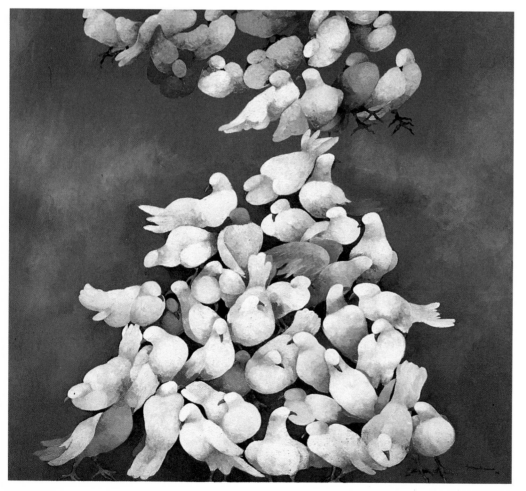

Oh ! C'est vraiment Haïti !... Le pays même, oui mon cher !... L'« habitant » vient de poser son « chapeau de paille »... et le bananier « amarré » est tellement vivant avec son régime si précieux, si « vital » pour ainsi dire !...

"Ah, this is the real Haiti !... The heart of the country, my dear !... The "native" has just set aside his "straw hat"... the "anchored" banana tree seems almost "alive !"...

Murat BRIERRE

1938 - Né à Port-au-Prince, le 20 avril.

Il entre en 1957 au Centre d'art.
Il décide en 1965 de s'essayer à la sculpture sur tôle découpée.
Ses sujets s'inspirent du vaudou et du christianisme.
Il sculpte des Christ. Rien de ce qu'il réalise n'est jamais vulgaire. Son œuvre la plus connue est une femme enceinte.
Ses thèmes favoris sont des femmes nues, des couples enlacés, des diables, des sirènes et des oiseaux.
Il est particulièrement difficile de définir son style, regroupant tant de tendances à la fois. Faut-il évoquer le surréalisme, l'abstraction ? On ne saurait toutefois omettre ce qu'il est convenu d'appeler le naïf.
De 1968 à 1983 il expose aux États-Unis, au Mexique, à la Jamaïque et se retrouve au musée du Panthéon national en Haïti.

1938 - Born April 20 in Port-au-Prince.

Brierre joined the Art Center in 1957. In 1965 he decided to try his hand at sculpture. His subjects are drawn from Voodoo and Christianity. None of his sculptures is ever common. His best known work is a pregnant woman with baby bulging from her body. Brierre's favorite themes are female nudes, embracing couples, devils, mermaids and birds. It is exceptionally difficult to define his style, which has aspects of several tendencies. Is it surrealism ? Abstraction ? It can certainly be termed what is commonly called naïve.
From 1968 to 1983 he exhibited in the United States, Mexico and Jamaica. His work is found in the National Pantheon of Haïti.

Sculptures sur tôle découpée.

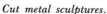

Cut metal sculptures.

Georges LIAUTAUD

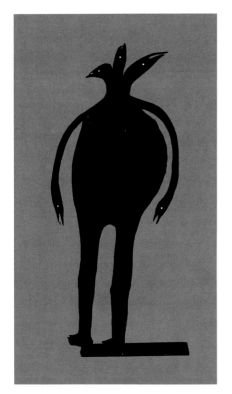

Imprégné de traditions vaudou,
Georges Liautaud a créé
en tôles découpées toute une population
d'animaux fantastiques.

Steeped in Voodoo tradition,
Georges Liautaud has created a menagery
of fantastic animals in metal.

1899 - Né à la Croix-des-Bouquets.

Il est forgeron, ce qui explique sans doute qu'il choisisse le fer pour s'exprimer.
Dewitt Peters le découvre en 1953 grâce à ses croix qui décorent le cimetière de sa ville natale et ressemblent à des Veves.
Sa carrière artistique débute avec sa première sculpture en tôle découpée destinée au Centre d'art.
Homme bon et intelligent il accepte sa renommée internationale avec simplicité et philosophie. Il n'a jamais abandonné sa forge et sa ville natale, et c'est avec le sourire et une grande gentillesse qu'il vous reçoit chez lui.
Ses œuvres sont connues et recherchées dans le monde entier. Tous les musées d'Europe et d'Amérique font indiscutablement de lui le plus grand sculpteur haïtien sur tôle et fer forgé.
Il pense que son talent est un don de Dieu. Ses créations varient entre l'abstraction et le figuratif. Artiste imprégné des traditions vaudou, il crée des sirènes, des diables, des animaux fantastiques et représente les dieux traditionnels.

1899 - Born in Croix-des-Bouquets.

Liautaud is a blacksmith, which undoubtedly explains the choice of iron as his medium of expression. Dewitt Peters discovered him in 1953 through the crosses he had made, which grace the cemetery of his home town and bear a great resemblance to ''Vévés.''
His artistic career began when he delivered his first sculpture to the Art Center.
A kind and intelligent man, Liautaud accepts his international reputation simply and philosophically. He has never left his blacksmith's shop in his native village, where visitors to his home are welcomed in his kind and smiling manner.
His work, renowned and sought after throughout the world, including European and American museums, makes him without question Haiti's greatest sculptor in tin and wrought iron. He believes his talent to be a gift of God. His creations vary from the abstract to the figurative. Steeped in Voodoo traditions, Liautaud creates mermaids, devils, fantastical animals and the traditional deities.

Mario Carreño.

Jaimé Colson.

La « jeep-sculpture »
de Jason Seley a eu
un énorme succès
aux États-Unis.
Cet artiste américain
a vécu plusieurs années
en Haïti où il a enseigné
la sculpture.

Jason Seley's « jeep
sculpture » was
enormously successful in
the United States.
This American artist lived
several years in Haiti,
where he taught sculpture.

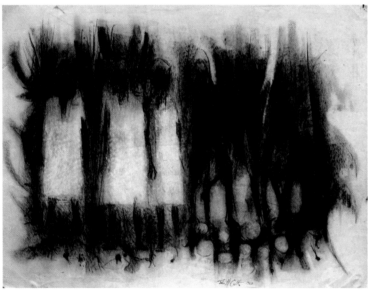

John Colt.

René Porto Carrero.

Nombreux sont les artistes étrangers qui viennent participer aux activités du Centre d'art, ceci dès 1946. Les Américains Jason Seley (sculpteur), John Colt (peintre), les peintres cubains René Porto Carrero, Mario Carreño, Carlos Henriquez et le Dominicain Jaimé Colson, apportent à la fois leur propre sensibilité et leur influence qui stimulent les artistes modernes haïtiens, tels Luce Turnier, Maurice Borno…
Ces courants bénéfiques se mêlent au climat spécifique de la peinture haïtienne et ouvrent la voie à un art puissant qui donnera naissance à de nombreux chefs-d'œuvre.

Numerous foreign artists have been active in the Art Center since 1946. Sculptor Jason Seley, painter John Colt (Americans), René Porto Carrero, Mario Carreño, Carlos Henriquez (Cubans) and Jaimé Colson (Dominican) bring their distinctive sensibilities and influence, which have stimulated modern Haitian artists such as Luce Turnier, Maurice Borno. These felicitous trends mingle in the special clime that it Haitian painting, forging the path for a powerful art which has given rise to numerous masterpieces.

Wilfredo LAM

1902 - Né à Sagua la Grande, à Cuba, le 8 décembre.
1982 - Décédé à Paris, le 8 décembre.

Son père est un commerçant chinois lettré et sa mère une mulâtresse. Très jeune, entre 1916 et 1923, il suit à La Havane, les cours des Beaux-Arts et expose ses premières œuvres.

Il émigre en Espagne en 1924, pour étudier aux Beaux-Arts de Madrid. En 1939, il expose avec Picasso à New York et fait la connaissance d'André Breton et de Benjamin Péret. La guerre le contraint à abandonner Paris. Il se rend à Marseille où il retrouve ses amis surréalistes dont Pierre Mabille, René Char et Max Ernst. Il illustre un ouvrage d'André Breton interdit par le gouvernement de Vichy. En 1941, il embarque avec André Breton, Lévi-Strauss et Victor Serge à destination de la Martinique où ils sont tous internés dans un camp. Il fait la connaissance d'Aimé Césaire et retrouve André Masson. En 1942, il rentre à Cuba.

De 1947 à 1952, il partage son temps entre Cuba, New York et Paris pour s'installer définitivement en France en 1952.

En 1944, il séjourne six mois en Haïti et assiste à des cérémonies vaudou. Il expose au Centre d'art et y obtient un très grand succès.

Juqu'en 1982 il a une activité incessante, devenant l'un des plus grands peintres de notre époque.

Lam a eu une importance majeure sur le développement de l'Art haïtien, faisant éclater, par sa seule présence au Centre d'art en 1946, les préjugés sur les peintres populaires et contribuant à faire reconnaître la magie de leur création.

Fabien Moravia

Huile sur toile exposée au Centre d'Art en 1944.

Oil on canvas exhibited at the Art Center in 1944.

1902 - Born December 8 in Sagua la Grande, Cuba.
1982 - Died December 8 in Paris.

Lam's father was a cultivated Chinese businessman, his mother a mulatto. He studied at Havana's School of Fine Arts while very young (1916-1923) and had his first paintings exhibited. He emigrated to Spain in 1924 to study at the School of Fine Arts in Madrid. Lam settled in Paris in 1938. Picasso introduced him to Pierre Loeb, who exhibited his paintings. In 1939, he had a joint exhibit with Picasso in New York and met André Breton and Benjamin Péret. The war forced him to leave Paris for Marseille, where he found a great many of his surrealist friends: Pierre Mabille, René Char, Max Ernst, Victor Brauner and Oscar Dominguez. He illustrated a work by André Breton which was banned by the Vichy government. In 1941 Lam boarded the *Pont de Merle* with André Breton, Claude Lévi-Strauss and Victor Serge. On the boat's arrival in Martinique six months later, all of them were housed in a camp. There he encountered Aimé Césaire and met with André Masson again.

Lam returned to Cuba in 1942. He divided his time between Cuba, New York and Paris from 1947 to 1952, when he settled permanently in Paris. Up to the time of his death in 1982, he was always active in the realm of art, becoming one of the great painters of our time.

Lam had a crucial influence on the development of Haitian art: his mere presence at the Art Center in 1944 swept away prejudices against popular painters, and he was highly instrumental in winning recognition for the magic of their creation.

Le souci du détail, caractéristique de la peinture de Philomé Obin,
traduit chez cet artiste un respect profond
pour les gens et pour l'histoire de son pays.

**Philomé Obin's preoccupation with detail reflects his deep respect
for the people and history of his country.**

L'école du Cap

C'est tout le nord d'Haïti dont témoignent l'ensemble de ces artistes groupés autour de leur chef de file incontesté : Philomé Obin.

C'est toute la fierté de ces paysans au passé glorieux, fiers de « leur » citadelle Laferrière. Fiers de leurs paysages où se déroulèrent des scènes historiques, où évoluèrent les héros de l'Indépendance.

Philomé Obin a fait école. Non seulement de nombreux peintres se sont rangés à ses côtés, mais encore toute sa famille. Plus de douze membres ! Fils, petit-fils, neveux !

Mais le merveilleux de cette floraison c'est que chacun et chacune d'entre eux est resté sa propre fleur. Même si les pétales, les pistils, sont indéniablement de la même espèce, chacune a gardé sa couleur et ses nuances.

Chacun et chacune est un peintre à part entière, avec sa sensibilité propre, ses vibrations propres. Même si le grand maître Philomé est là, présent, dans l'ombre de chacun d'eux.

G.B.

The Cap-Haïtien School

These artists, grouped around their uncontested leader, Philomé Obin, bear witness to the whole northern part of Haiti, where the rural population takes immense pride in its past. Pride in ''their'' Laferrière Citadel, and in their land, where heroes fought for independence.

Philomé Obin has amassed quite a following. Not only have numerous painters gathered around him, but his entire family, more than a dozen persons including children, grandchildren and nephews, have become artists!

But the most marvellous feature of this flowering is that if all of the blossoms are undeniably of the same species, each preserves its own color and shadings. Each painter is autonomous, with a personal sensibility and unique vibration —even if the grand master Philomé is present behind them all.

G.B.

Philomé OBIN

1892 - Né au Limbé, près du Cap-Haïtien.

Il commence à peindre, alors qu'il est tantôt coiffeur, tantôt acheteur de café.

Quand le Centre d'art est fondé il y envoie un tableau, sa première « vraie » œuvre, ainsi qu'il la définit lui-même, décrivant avec une stupéfiante précision l'arrivée de Franklin Roosevelt au Cap-Haïtien pour mettre fin à l'occupation américaine combattue par le peuple haïtien.

Cette découverte est pour Dewitt Peters et ses collaborateurs la révélation de la peinture naïve qui couve dans le pays. Ils comprennent alors qu'il faut la faire connaître à tout prix et la stimuler.

Dès septembre 1945, s'ouvre au Cap-Haïtien sous la responsabilité de Philomé Obin une annexe du Centre d'art qui regroupe des peintres encore inconnus.

Le style de Philomé Obin a profondément marqué la peinture du Nord. Il a peint deux fresques à la cathédrale Sainte-Trinité.

Profondément porteur des aspirations de son peuple, il est aussi célèbre par son tableau *la Démocratie en marche*.

Son rôle pour le développement de l'art dans sa région a été tel que de nombreux membres de sa famille se sont également mis à peindre. On dénombre aujourd'hui huit Obin dont les œuvres sont particulièrement appréciées des collectionneurs : Sénèque, Antoine, Télémaque, Henri-Claude, Michaëlle, Michel, Othon et Jean-Marie Obin.

1892 - Born in Limbé, near Cap-Haïtien.

Obin began painting while a barber, then a coffee buyer. Upon the founding of the Art Center he sent a painting, his first "true" work, as he himself describes it, which depicts, with astounding precision, the arrival of Franklin Roosevelt at the Cap-Haïtien to put an end to the American occupation, which had been so strongly resisted by the Haitian people.

This discovery was for Peters and his collaborators the revelation of the naïve painting which was incubating in the country. They realized that it must be stimulated and brought to public attention. An annex of the Art Center bringing together as yet unknown artists opened in September 1945 under the leadership of Philomé Obin.

Obin's style has profoundly marked painting in the North. He painted two murals at the Holy Trinity Cathedral. Strongly wedded to the aspirations of his people, Obin is also well known for his painting *Democracy at Work*.

His role in the development of art in his region has been such that many members of his own family have begun to paint. Eight of the Obin family are especially esteemed by collectors: Sénèque, Antoine, Télémaque, Henri-Claude, Michaëlle, Michel, Othon, and Jean-Marie Obin.

Les Bourgeois du Cap-Haïtien vers 1900 à 1913.
Auguste, Laroche, Dagué, Martin, etc.

un avocat

Philomé Obin a le scrupule de la « vérité vraie ». La moindre feuille d'arbre, le plus petit détail vestimentaire sont minutieusement peints. Les classes sociales aussi...

Philomé Obin is faithful down to the last detail. The tiniest leaf on a tree, the slightest fold in a garment are carefully painted. Social classes, as well...

Le 9 septembre 1977, Philomé Obin entouré de ses amis artistes est fait commandeur de l'ordre national Honneur et Mérite.

On the 9th of September, 1977, Philomé Obin amid his artist friends, received the honors of the commandeur de l'ordre national Honneur et Mérite.

Henri-Claude Obin.

La famille OBIN

Quoi de plus étrange qu'une famille entière devenue collectivement, héréditairement, peintres de talent !...

C'est pourtant cette étonnante réalité que nous offre la famille Obin...

Destin surprenant qui a fait des uns et des autres les multiples créateurs d'une même œuvre. Antoine et Michel nous font pénétrer dans les « intérieurs » de la vie haïtienne. Sénèque, Télémaque, Henri-Claude, Michaëlle, Jean-Marie, Othon et Sully, stigmatisent les scènes historiques et les paysages du cadre de vie !... Mais tous, scribes à la même orthographe picturale, témoignent à jamais, pour le devenir, sur la vie émouvante du passé et du présent de leurs racines populaires.

Jean-Marie Obin.

Antoine Obin.

Télémaque Obin.

The Obin Family

What could be more unusual than an entire family of people who become collectively, hereditarily, talented painters! Yet in the Obin family we find this an astonishing reality...

This surprising destiny has turned its members into the multiple creators of a single body of work. Antoine and Michel bring us into the interior settings of Haitian life. Sénèque, Télémaque, Henri-Claude, Michaëlle, Jean-Marie and Othon offer us historical scenes and landscape-as-frame-for-life. But all, scribes of the same pictorial language, bear witness now and forever to the moving life, past and present, of their popular roots.

Michaëlle Obin.

Michel Obin.

Sénèque OBIN

1893 - Né au Cap-Haïtien.
1977 - Décédé.

Sénèque Obin est le frère de Philomé qui l'a intéressé et guidé dans sa carrière de peintre.
Très influencé par son aîné, Sénèque s'est spécialisé dans les scènes historiques.
Il rejoint le Centre d'art en 1948.
Il décrit souvent des cérémonies maçonniques ayant été, comme son frère, adepte de la franc-maçonnerie.
Il utilise la couleur pure et affectionne le noir.

1893 - Born in Cap-Haïtien.
1977 - Died.

Sénèque Obin is the younger brother of Philomé Obin, who guided and influenced him in his painting career. His style was strongly affected by that of his older brother. Sénèque, who joined the Art Center in 1948, specialized in historical scenes.
An active Mason like his older brother, Sénèque Obin often depicted Masonic ceremonies. In contrast to the other Obins, he makes use of pure color and is fond of black.

« Bûcherons au travail ».
Thème peu courant dans l'œuvre de l'artiste.

''Woodcutters at work ».
An unusual theme in this artist's work.

Guy DORCIN

1954 - Né au Cap-Haïtien, le 18 décembre.

Dès 1971, il commence à peindre surtout des paysages où il met en valeur l'architecture des Gingerbread houses, c'est-à-dire les maisons de style colonial, typiques de la région. Ses peintures sont présentées principalement à la galerie Marassa et aux Trois-Visages au Cap-Haïtien.
Il expose de 1979 à 1985 en France et aux États-Unis.

1954 - Born December 18, in Cap-Haïtien.

Dorcin began to paint in 1971, concentrating on landscapes where he emphasized the ''gingerbread house'' or colonial style architecture so typical of the region. His work chiefly at the Marassa Gallery and at is shown Trois Visages in Cap-Haïtien.
From 1979 to 1985 he exhibited in France and in the United States.

Bourgeois haïtiens devant une maison « Gingerbread ».

Haitian bourgeois in front of a gingerbread house.

Laetitia SCHUTT

1947 - Née en Allemagne, le 31 mars.

Sa mère est architecte et son père commerçant, ils s'établissent en Haïti quand elle est encore enfant. Elle y vit jusqu'à l'âge de treize ans, puis se rend à Hambourg pour y poursuivre ses études. Après l'université, elle se consacre à la peinture. De retour en Haïti en 1973, elle fait de fréquents voyages aux États-Unis et en Allemagne. Disciple de Philomé Obin, elle est considérée comme une naïve sophistiquée. La ville du Cap-Haïtien demeure pour elle sa source d'inspiration essentielle.

1947 - Born March 31, in Germany.

Schutt's architect mother and businessman father settled in Haiti when she was a child. At the age of thirteen she went to Hamburg to study. After the university, she devoted herself to painting. Schutt returned to Haiti in 1973, and has since travelled frequently to the United States and Germany. A disciple of Philomé Obin, she is considered to be a ''sophisticated naïve painter.''
The town of Cap-Haïtien remains an essential source of inspiration for her.

Maison coloniale du Cap-Haïtien.

Cap-Haïtien Colonial Home.

81

Eugène JEAN

1950 - Né au mois de mai au Trou du Nord.

Il commence à peindre vers 1970 avec Philomé Obin, entre au Centre d'art de Port-au-Prince l'année suivante.

Il doit à son maître Philomé Obin sa préférence pour la ligne plutôt que pour la couleur, et la précision de sa technique. Le choix de ses sujets diffère de ceux d'Obin : il peint des scènes typiques avec une pointe d'humour. Ses personnages sont généralement des gens ordinaires dans leur environnement naturel.

Eugène Jean est vraiment un homme du Nord et la vie qu'il peint est très ordonnée. Il emploie une palette de couleurs délicates, exprimant le charme frais des scènes qu'il décrit. Il a exposé aux États-Unis. Ses peintures sont présentées de façon permanente aux galeries Marassa et Trois visages.

1950 - Born in Trou du Nord.

Jean began to paint with Philomé Obin in 1970 and joined the Art Center in Port-au-Prince in 1971.

He owes his technical precision and concentration on line rather than color to his teacher Philomé Obin, although his choice of subjects is different. He paints folkloric scenes with a touch of humor. His characters are generally ordinary people in their customary surroundings. Eugène Jean is a true man of the North, and the life he depicts is very tidy and well ordered.

He utilizes a palette of delicate colors to express the fresh charm of the scenes he paints. Between 1978 and 1979, Jean had several exhibitions in the United States. His work is shown on a permanent basis at the Marassa and Trois visages Galleries.

Étienne CHAVANNES

1939 - Né au Cap-Haïtien.

Il débute en 1967 avec Philomé Obin. Ils ont en commun un vif intérêt pour les gens et leurs activités.
Son style coloré et descriptif s'appuie sur un sens aigu de l'observation.
Il aime à peindre la foule, les assemblées religieuses, un enterrement, un événement sportif...
Il est doué d'humour ce qui ajoute chaleur et vie à ses tableaux.
Il a notamment exposé au musée de Brooklyn à New York en 1978.

1939 - Born in Cap-Haïtien.

Chavannes started working with Philomé Obin in 1967. He shares a keen interest in people and their activities. His style is descriptive and colorful, based on acute powers of observation. His favorite subject is the crowd, whether at a religious celebration, a funeral, a sporting event... He is gifted with a sense of humor that adds warmth and vivacity to his paintings. Chavannes' work is widely shown, notably at the Brooklyn Museum in New York (1978).

Scène de marché au Cap-Haïtien.

A market scene in Cap-Haïtien.

Jean-Baptiste JEAN

1953 - Né au Cap-Haïtien, le 21 avril.

Il commence à peindre en 1970 avec Philomé Obin et entre au Centre d'art de Port-au-Prince dès l'année suivante.
De 1978 à 1985 il expose aux États-Unis, en république Dominicaine et en France.

1953 - Born April 21 in Cap-Haïtien.

Jean began to paint with Philomé Obin in 1970 and the following year entered the Art Center in Port-au-Prince.
From 1978 to 1985 he exhibited in the United States, the Dominican Republic and in France.

Procession de la fête de l'Arbre.

Procession of the Tree Festival.

Jean-Baptiste BOTTEX

1918 - Né à Port-Margot, dans le nord d'Haïti.

Aîné de Seymour Bottex, plus connu, c'est un peintre naïf, spécialisé dans les sujets tirés de la Bible et peignant également des scènes de la vie haïtienne.
Il participe à plusieurs expositions locales, ainsi qu'à l'étranger.

1918 - Born in Port Margot in northern Haiti.

Jean-Baptiste is the elder brother of the better known Seymour Bottex. He is a naïve painter specialized in biblical topics and daily scenes from Haitian life.
He exhibits both locally at the Art Center and abroad.

Aux abords du Palais de Sans-Souci. | *Near the Sans-Souci Palace.*

Guy JOACHIM

Village dans le nord d'Haïti.

Village in the North of Haiti.

1955 - Né au Cap-Haïtien, le 4 septembre.

Il est présenté à Philomé Obin qui guide ses débuts de peintre.
En 1976, il est le dessinateur du premier film d'animation haïtien intitulé *l'Aube noire.* En bon disciple d'Obin, il peint avec une grande simplicité des scènes historiques.
De 1974 à 1985, il expose beaucoup en Haïti, mais également en Allemagne, aux États-Unis, en république Dominicaine et en France.

1955 - Born September 4th in Cap-Haïtien.

In 1973, Joachim was introduced to Philomé Obin, who guided his early efforts.
His drawings were used in the first Haitian film, *Black Dawn*, in 1976. A true disciple of Obin, he paints historical scenes in a very unaffected style.
From 1974 to 1985, Joachim's work was widely exhibited in Haiti and also shown in Germany, the United States, the Dominican Republic and France.

Seymour Étienne BOTTEX

1920 - Né à Port-Margot, près du Cap-Haïtien, le 25 décembre.

Encouragé par son frère Jean-Baptiste, déjà réputé, il se consacre à la peinture dès 1955.
Il entre au Centre d'art en 1961 et la galerie Issa expose ses œuvres en 1969.
Il s'est spécialisé dans les sujets tirés de la Bible et les scènes de la vie haïtienne et peint également des scènes historiques. Une partie de son œuvre est classée dans la peinture dite humoristique. De façon très originale, il utilise souvent dans ses tableaux, un second tableau donnant ainsi une dimension particulière à ses ambiances d'intérieur.
De 1968 à 1980, il expose en Angleterre, aux États-Unis, en France et en Italie.

1920 - Born December 25 in Port Margot, near Cap-Haïtien.

Seymour Bottex began to paint in 1955, encouraged by his already renowned brother, Jean-Baptiste, and in 1961 joined the Art Center. His work was exhibited at the Issa Gallery in Port-au-Prince in 1969.
Bottex specializes in biblical themes as well as scenes from historical events or Haitian life. A portion of his work is considered "humorous." Within his paintings he often includes a second painting, thus lending a unique dimension to his interior settings.
Fom 1968 to 1980, he exhibited in the United States, England, France and Italy.

« Retour de pêche ». | *"Fishermen's Return".*

Max GERBIER

1951 - Né à Milot, près du Cap-Haïtien.

Dès son enfance ses professeurs reconnaissent son talent, et
l'encouragent. Il s'adonne entièrement à la peinture à la fin
de ses études.
Il peint des paysages du Cap-Haïtien où il vit, et des scènes
de la vie paysanne. Quoiqu'influencé par Philomé Obin, il
développe son propre style et fait école.
Son sérieux, son honnêteté et sa vérité se retrouvent dans sa
peinture et font de lui un authentique chef de file.
Ses peintures, connues dans plusieurs pays, se trouvent déjà
dans différentes collections importantes en Haïti, en France
et aux États-Unis.

1951 - Born in Milot, near Cap-Haïtien.

Gerbier's teachers recognized and encouraged his artistic
talent even as a child. By the end of his studies he had
entirely devoted himself to painting.
Gerbier paints the landscapes of Cap-Haïtien, where he
lives, and scenes of rural life. Though influenced by Philomé
Obin, he developed his own style and has attracted a
following.
His earnestness, honesty and forthrightness are reflected in
his painting, making him a leading painter. His paintings,
known in several countries, are found in various important
collections, in Haiti, in France and in the United States.

Au Cap-Haïtien | *At Cap-Haïtien.*

Fabolon BLAISE

1959 - Né au Cap-Haïtien.
1985 - Décédé à Port-au-Prince.

Dès 1975, il se consacre à la peinture, guidé par ses frères Saint-Louis et
Serge Moléon.
Il est tout d'abord paysagiste, puis se spécialise dans les scènes histori-
ques, s'inspirant du folklore ainsi que du vaudou.
On se souvient de lui comme d'un homme taciturne, parfois emporté,
mais extrêmement attachant.

1959 - Born in Cap-Haïtien.
1985 - Died in Port-au-Prince.

Following in the footsteps of his brothers, Saint-Louis and Serge
Moléon Blaise, Fabolon devoted himself to painting in 1975. He began
with landscapes and later specialized in historical scenes inspired by
folklore and Voodoo. He is remembered as a taciturn, sometimes irasci-
ble, but very endearing character.

"Marassas".

Serge Moléon BLAISE

1954 - Né au Cap-Haïtien.

Il travaille en étroite collaboration avec son frère Saint-Louis et se voue à des œuvres directement inspirées de l'histoire d'Haïti.
L'ensemble de sa production fait preuve d'un souci méticuleux de livrer une image raffinée où l'héroïsme des participants est présenté avec grandiloquence.
Fier du courage de son peuple, son œuvre est entièrement consacrée à la gloire de ses faits d'armes et de ses luttes historiques pour son indépendance.

1954 - Born in Cap-Haïtien.

Blaise works in close collaboration with his brother Saint-Louis and devotes himself to works inspired directly by Haitian history.
The whole of his work manifests the meticulous refining of images which become eloquent representations of the subjects' heroism.
Proud of his countrymen's courage, Blaise focuses his work exclusively on their glorious feats of arms and historic struggles for independence.

Toussaint Louverture, le héros de l'indépendance haïtienne, celui qui écrivait à Napoléon :
« Le premier des noirs au premier des blancs »,
celui qui fut traîtreusement emmené en otage
en France et qui périt au Fort-de-Joux
dans la « mort blanche » de l'hiver jurassien,
a hanté Serge Moléon Blaise.

Toussaint Louverture, the hero of Haitian independence, who wrote to Napoléon in these words :
"To the first among whites from the first among blacks".
He was taken as hostage to France by treachery and died
"a white death" in the Jurassian winter at Fort-de-Joux.
His memory haunts Serge Moléon Blaise.

Saint-Louis BLAISE

1956 - Né au Cap-Haïtien.

Jean-Baptiste et Seymour Bottex l'initient à la peinture pendant deux ans.
Son style est réaliste. Le dessin y est très important et précis. Chacune de ses œuvres est le résultat d'un travail patient et d'une observation minutieuse.
Il tire son inspiration de l'histoire d'Haïti surtout celle du début du XIXᵉ siècle, la Révolution, l'Empire et le royaume d'Henri Christophe avec son « Palais de Sans-Souci » plein de généraux emplumés.
Il peint également dans un style plus décoratif des bouquets, des arbres ployant sous les fruits, des fonds sous-marins très colorés. Il évolue de plus en plus vers l'hyperréalisme.
Il est très apprécié des collectionneurs. Il expose à la galerie Monnin et participe à différentes manifestations à l'étranger, notamment à Paris.

1956 - Born in Cap-Haïtien.

Blaise worked under Jean-Baptiste and Seymour Bottex for two years.
His style is realistic, the design element is essential and highly precise. Each of his works is the fruit of patient effort and minute observation.
He draws inspiration from Haitian history, especially the beginning of the 19th century, the Revolution, the Empire and Kingdom of Henri Christophe with its Sans Souci Palace full of feather-decked generals.
In a more decorative style he also paints bouquets, trees sagging with fruit and vividly colored underwater panoramas. He has tended more and more toward hyper-realism.
Much coveted by collectors, his work is shown at the Monnin Gallery and has appeared in foreign exhibitions, notably in Paris.

Pour conter fleurette... | *When you go flirting...*   *... la route est longue.* | *... the road is long.*

Saint-Louis Blaise ne se moque pas.
Sa démarche est authentiquement amoureuse
de cette obésité offerte d'un cœur serein.
La femme qu'il a conquise, qui le passionne
et qui est sa compagne de tous les instants,
est énorme. Elle est pour lui, suprêmement,
beauté et volupté.

Saint-Louis Blaise is not joking. He is truly in love
with this obesity seen with a serene heart. The
woman he won, whom he loves deeply and has been
his constant companion, is enormous. She is for him
the supreme expression of beauty and
voluptuousness.

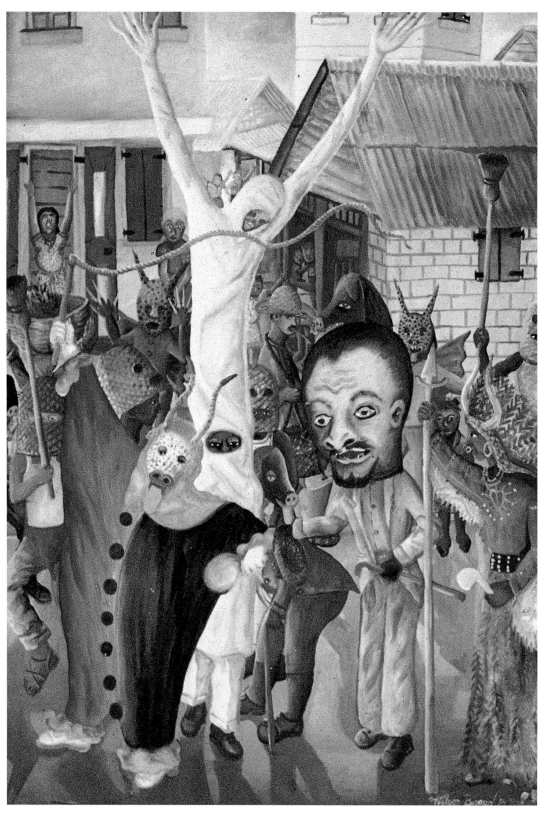

Dans cette « Scène de Carnaval »,
Wilson Bigaud a rassemblé les personnages
mythologiques de cette grande fête populaire
qui embrase tout le pays.

In this "carnival scene", Wilson Bigaud has
portrayed the mythological characters of this
popular festival which sweeps all the country up
in its wake.

Vaudou et scènes de vie haïtienne

Est-il besoin d'évoquer encore ce creuset haïtien où se sont fondues tant de civilisations : caraïbe, espagnole, française, anglaise, africaines ?...
Le vaudou, ciment impérissable de tout un peuple s'arrachant à l'esclavage et s'imprégnant, dans la même marche à la liberté, des autres cultures, les mêlant au point de ne plus en faire qu'une : « l'Haïtianité ! »

Est-il besoin à nouveau de l'évoquer pour comprendre à quel point ce fut un impérieux besoin pour ces peintres-paysans, aux pieds nus plantés dans une boue sanglante, de chanter et de dire joyeusement et tragiquement encore la fierté de leurs valeurs fondamentales ?

Les peintres du vaudou ont fait surgir devant nos yeux éblouis toutes les scènes de vie d'une nation qui n'a jamais renié ses racines ancestrales, ses rythmes et ses mythes séculaires.

G.B.

Voodoo and Scenes of Haitian Life

Once again, we need only remind ourselves that Haiti is a crucible where so many civilizations merge: Caribbean, Spanish, French, English, African... And Voodoo, the imperishable bond uniting this people as it wrenches itself from slavery and becomes imbued with the liberty of these cultures, fusing them all into a single reality: "Haitianness !"
We must remember all this to understand the overriding need of these "peasant-painters," —their bare feet plunged in a mire of earth and blood— to sing, to joyously and even tragically express pride in the fundamental values that are theirs. The "Voodoo painters" have brought to life before our dazzled regard "scenes from real life" in a nation which has never renounced its ancestral roots, rhythms and age-old myths.

G.B.

Hector HYPPOLITE

1894 - Né à Saint-Marc, le 16 septembre.
1948 - Décédé à Port-au-Prince, le 9 juin.

Il a exercé toutes sortes de métiers — il fut peintre en bâtiment et « houngan » (prêtre du vaudou) — avant d'être découvert par Philippe Thoby-Marcelin et Dewitt Peters en 1945.

Sa carrière : « De l'éclair elle a l'éclat, mais aussi la brièveté. » En trois ans on parle de 256 œuvres. Il a illustré le livre de Milo Marcelin *Les Vévés*.

Son inspiration plonge dans un imaginaire aux dimensions de deux continents : une Afrique et une Amérique, toutes deux également recréées par un pinceau ingénu. On pourrait parler d'un imaginaire et d'une histoire enlacés, produisant à tour de rôle cette *Sirène*, ces *Chefs d'Haïti*, souvent entourés de fleurs que nul ne trouve ailleurs.

Il peint ses dieux comme ils lui apparaissent en songe, sous des formes humaines ou animales.

Peters dit de lui qu'il est tempéré, gentil, impatient au travail, créant son propre univers, monde peuplé de « loas ». En effet, bien qu'ayant peint de très belles natures mortes, Hyppolite est un peintre essentiellement religieux. Lui-même dit peindre en état de possession durant lequel rien d'autre n'existe pour lui. Il a l'impression que ce n'est pas lui qui peint et croit être l'instrument de saint Jean-Baptiste.

André Breton, Wilfredo Lam et plus tard Pierre Mabille admireront ses œuvres.

1894 - Born September 16 in St-Marc.
1948 - Died June 9 in Port-au-Prince.

Hyppolite had practiced a variety of professions, from house painter to "houngan" or Voodoo priest, before being discovered in 1945 by Philippe Thoby-Marcelin and Dewitt Peters. His career "has the brilliance of a lightning bolt, but its brevity, as well." In three years he produces 256 paintings including the illustrations to Milo Marcelin's book *Les Vévés*.

His inspiration plumbs the resources of an imagination encompassing two continents, Africa and America, both brought to life by his ingenuous brush. One might speak of an intertwining of the historical and imaginary, producing here his *Mermaid*, there his *Haitian Chiefs* surrounded by flowers found nowhere but on his canvas.

Hyppolite painted his gods as they appeared to him in dream, in animal or human form.

Peters said of him that he was moderate, kind, eager to work, creating his own world peopled with "loas." In fact, though adept at still life, Hyppolite was essentially a religious painter.

Hyppolite declared that he painted in a possessed state during which nothing else existed for him. He had the impression that it was not he himself who painted, but that he was the instrument of John the Baptist.

André Breton, Wilfredo Lam, and later Pierre Mabille were among his admirers.

La femme haïtienne.

The Haitian Woman.

92

Dambala, dieu vaudou.

Dambala, Voodoo God.

Wilson BIGAUD

1931 - Né à Port-au-Prince.

Il commence par utiliser l'argile et est présenté en 1946 à Dewitt Peters qui le décourage de continuer dans cette voie lui suggérant d'essayer plutôt la peinture. Il entre au Centre d'art et commence à peindre sous la direction de Maurice Borno.

En 1950, sa toile intitulée *Paradis* remporte le second prix lors d'une exposition internationale à Washington. Elle appartient actuellement à la collection du Museum of Modern Art de New York. Cette même année, il peint son chef-d'œuvre *les Noces de Cana*.

En 1951, il travaille sur les murs de la cathédrale épiscopalienne Sainte-Trinité à Port-au-Prince. On y retrouve tous ses thèmes habituels : la vie populaire en Haïti, la violence, la couleur, les mystères du vaudou, le rythme des tambours, le tout baignant dans la lumière dorée caractéristique de son œuvre. Souffrant de dépression, il cesse pratiquement de peindre en 1957.

Depuis cette époque, Wilson Bigaud s'est retiré en famille à Petit-Goâve.

Dewitt Peters a dit de lui qu'il est hanté par la peur de perdre son don et quelques-uns de ses amis sont convaincus qu'il a fait un pacte avec un houngan (prêtre vaudou) pour préserver son talent. Il est l'un des chefs de file de la peinture haïtienne.

1931 - Born in Port-au-Prince.

After starting out as a sculptor in clay, in 1946 Bigaud was introduced to Dewitt Peters, who discouraged him from continuing in that medium, suggesting he turn his talents to painting. He enrolled at the Art Center and began to paint under the direction of Maurice Borno.

His canvas entitled *Paradise* won second prize at an International Exhibition in Washington in 1950 and is now in the collection of the Museum of Modern Art in New York. In the same year Bigaud painted his masterpiece, *The Wedding at Cana*. In 1951, he worked on the walls of the Holy Trinity Episcopal Cathedral in Port-au-Prince.

This work demonstrates his customary themes: everyday life ine Haiti, violence, color, the mysteries of voodoo, the rhythm of drums, all bathed in the golden light characteristic of his work.

In 1957, suffering from depression, he stopped painting almost entirely. From 1961 on, Wilson Bigaud retreated into family life in Petit-Goâve, Haiti.

Dewitt Peters said of Bigaud that he was obsessed by the fear of losing his gift, and several of his friends were convinced that he had made a pact with a *houngan* (voodoo priest) to preserve his talent. He is one of the major figures in Haitian painting.

Avant de peindre, Wilson Bigaud a pétri l'argile.
Il a gardé le goût des formes sensuelles
que l'on retrouve dans ses toiles nimbées
d'une clarté onirique.

Before beginning to paint, Wilson Bigaud worked in
clay. It left him that feeling for sensual forms
which we find in his painting haloed
in a dreamlike luminosity.

Rigaud BENOIT

« *Femme-fleur* ».

"*Flower Woman*".

1911 - Né à Port-au-Prince.

Au début de l'activité du Centre d'art en 1944, il se présente avec une cruche qu'il a décorée. Là on réalise que c'est déjà un artiste aux immenses possibilités. Encouragé par les peintres du Centre, il décide alors d'abandonner son métier de chauffeur de taxi pour se consacrer entièrement à son art.

Afin d'apporter des détails plus précis à ses dessins il fait usage d'une loupe.

Durant un an, en travaillant avec acharnement tous les jours, il ne réalise que deux tableaux, tant est minutieuse sa façon de peindre !

Il se révèle humoriste et narrateur. En 1947, il participe à la grande exposition organisée par le musée d'Art moderne de Paris dans les locaux de l'Unesco. Cette exposition consacre le succès de la peinture haïtienne en France.

Dès cette époque la renommée de Rigaud Benoit ne cesse de grandir. Il fait partie du groupe de huit peintres qui travaillent aux fresques de la cathédrale Sainte-Trinité. Il est l'auteur de la *Nativité*, un des chefs-d'œuvre de cette cathédrale.

Ses sujets sont des scènes de la vie quotidienne, du folklore et du vaudou. Il décrit de préférence des histoires drôles. Critique, philosophe et moraliste, c'est aussi un grand rêveur. Il dépeint la femme haïtienne comme une « fleur parmi d'autres fleurs ».

Musicien dans sa jeunesse, cette sensibilité transparaît aujourd'hui dans ses tableaux.

1911 - Born in Port-au-Prince.

In the early days of the Art Center (1944), Benoit appeared with a jug he had decorated. It was immediately apparent that he was already an artist of immense promise. Encouraged by the painters at the Art Center, he left his job as a taxi driver to devote himself entirely to painting. He made use of a magnifying glass in order to render his drawings in ever more precise detail.

His style is so meticulous that during the course of an entire year, working hard every day, he completed two paintings —such is the minute care that goes into his work!

Benoit is both a humorist and a narrator. In 1947 he participated in the exhibition organized by the Museum of Modern Art in Paris at UNESCO, which marked the watershed in the success of Haitian painting in France.

From this time on Rigaud Benoit's fame continued to grow, and he was among the eight painters to work on the murals at the Holy Trinity Cathedral. He is the creator of *The Nativity*, one of the cathedral's masterworks.

His favorite subjects are scenes of daily life, folklore and Voodoo. He prefers an amusing story, all the while remaining critical, philosophical and a moralist, but above all a dreamer. He paints the Haitian woman as "the flower she truly is."

A musician in his youth, he retains a lyricism which makes itself felt in his paintings.

96

« Boat people ».
L'humour de Rigaud Benoit
est souvent tragi-comique.

"Boat People".
Rigaud Benoit's humour is
often tragi-comical.

Castera BAZILE

1923 - Né à Jacmel.
1965 - Décédé.

Dès 1944, Castera Bazile travaille au Centre d'art au service de Dewitt Peters qui lui confie le soin d'entretenir le Centre et de procurer aux élèves tous les éléments nécessaires à l'élaboration de natures mortes. C'est ainsi qu'il s'intéresse aux fleurs et à la composition. À force de voir les élèves travailler, il demande un jour des pinceaux et du papier. Il prend part dès 1955 à différentes expositions au Centre et à l'étranger, toujours avec succès, obtenant le grand prix de la Caribbean International Competition, organisée par la société Alcoa.
En 1957, il participe au Holiday Magazine's Contest et gagne le grand prix.
Il meurt prématurément en pleine gloire, en 1965.

1923 - Born in Jacmel.
1965 - Died.

In 1944 Bazile was working for Dewitt Peters. His job was to keep the Art Center up and to provide the students with the necessary elements for still life subjects. Through this developed an interest in flowers and composition, and one day, having so often watched the students at work, he took up brush and paper himself.
By 1955, he took part in various exhibits at the Art Center and overseas, always with success, and the same year won the grand prize of the Caribbean International Competition sponsored by the Alcoa Corporation.
In 1957, he received the $1,000 grand prize in a Holiday Magazine contest.
He died prematurely at the peak of his career in 1965.

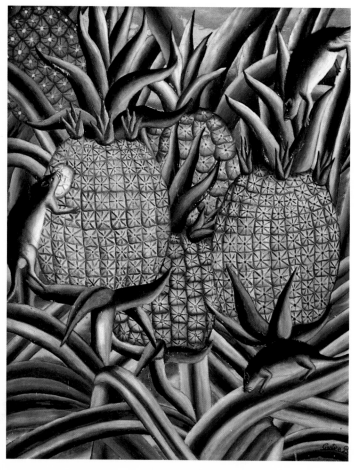

Le déjeuner des rats.

The Rats' Breakfast.

« Jolis mangos ! »

Pretty Mangoes !

Gabriel ALIX

1930 - Né à Saint-Marc.

Il est présenté à Dewitt Peters par Hector Hyppolite en 1946. Resté fidèle au Centre d'art il le fréquente jusqu'à aujourd'hui.
Ses peintures représentent des vases de fleurs. Il a une prédilection pour les natures mortes ainsi que pour les sujets religieux.

1930 - Born in Saint-Marc.

Alix was introduced to Dewitt Peters by Hector Hyppolite in 1946. He is still a faithful member of the Art Center.
His paintings depict vases of flowers and other still and religious life subjects.

Notre-Dame du Perpétuel Secours, patronne d'Haïti.

Notre Dame of Eternel Aid, the patron saint of Haiti.

Gesner ABÉLARD

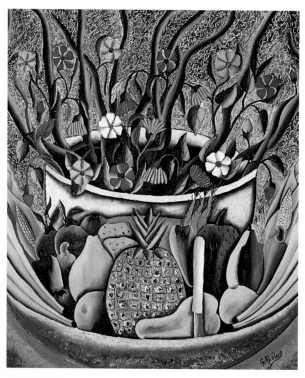

1922 - Né à Port-au-Prince.

Ancien mécanicien puis détective, il apprend la sculpture avec Ulberman Charles, fils de Normil Charles également sculpteur réputé.
En 1946, il entre au Centre d'art. Ses peintures sont surtout célèbres par la présence d'arbres et d'oiseaux qui animent ses tableaux de façon très particulière.

1922 - Born in Port-au-Prince.

A mechanic, then a detective, Abélard learned sculpture from Ulberman Charles, son of Normil Charles, also a renowned sculptor. He joined the Art Center in 1946 and received encouragement for his paintings which are particularly characterized by the unusual birds and trees which abound in them.

Fleurs et fruits.

Flowers and fruits.

Micius STÉPHANE

1912 - Né à Bainet, petit village de la côte sud d'Haïti.

« Sculpteur du dimanche » pendant des années, il exerce les métiers de cordonnier et de savetier. En 1946, il rencontre Dewitt Peters et commence sa carrière de peintre au Centre d'art.

De 1961 à 1979 il expose en Allemagne, aux États-Unis, en Angleterre, en Italie et en France. L'une de ses expositions à Paris a été faite sous le patronage d'André Malraux.

Naïf et intimiste, il peint avec une minutieuse exactitude des scènes de la vie haïtienne dont ses toiles nous restituent le charme. Il est considéré comme l'un des meilleurs artistes haïtiens contemporains.

1912 - Born in Bainet, a small village on Haiti's southern coast.

A "Sunday sculptor" for years, Stéphane earned his living as a cobbler.

In 1946, he met Dewitt Peters and began his painting career at the Art Center.

From 1961 to 1979 he exhibited in Germany, the United States, England, Italy and France. One of his Paris exhibitions took place under the patronage of André Malraux.

A naïve and intimist painter, Stéphane renders charming scenes from Haitian daily life with minute accuracy. He is considered one of Haiti's eminent contemporary artists.

Marché de Bainet. | *Market in Bainet.*

Adam LÉONTUS

1928 - Né à l'Anse-à-Galets, dans l'île de la Gonâve (baie de Port-au-Prince).
1986 - Décédé au mois de juillet à Port-au-Prince.

Il commence à peindre au Centre d'art en 1948. Il participe aux fresques de la cathédrale épiscopalienne de Port-au-Prince avec Philomé Obin, Castera Bazile, Rigaud Benoit, Wilson Bigaud et Préfète Duffaut.
C'est un autodidacte qui peint merveilleusement les oiseaux et les fruits exotiques.

1928 - Born in Anse-à-Galets, on the island of Gonâve (Bay of Port-au-Prince).
1986 - Died in july, in Port-au-Prince.

Léontus began to paint at the Art Center in 1948, and participated in the creation of the murals at Port-au-Prince's Episcopal Cathedral with Philomé Obin, Castera Bazile, Rigaud Benoit, Wilson Bigaud, and Préfète Duffaut.
Léontus is self-taught and especially gifted at depicting birds and exotic fruits.

Peterson LAURENT

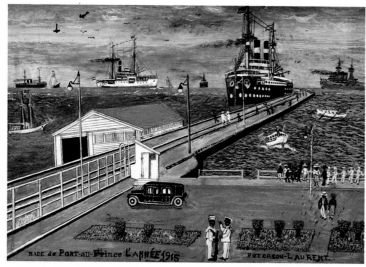

1915 : année de l'occupation américaine.
La rade de Port-au-Prince.

1915, the year of the American occupation.
Off shore at Port-au-Prince.

1940 - Né à Saint-Marc.
1958 - Décédé à Saint-Marc.

D'après ce que l'on sait de sa très brève existence, il a travaillé comme forgeron dans les chemins de fer. Ses thèmes favoris sont les scènes de la vie paysanne, les bateaux de guerre américains, les natures mortes, les coqs, les poissons ou les vases de fleurs. D'autres thèmes viennent plus précisément du vaudou.
La particularité de son style, très naïf, est qu'il dessine ses personnages de façon très rudimentaire avant de les remplir de légères touches de peinture.
Membre du Centre d'art, sa courte carrière n'a pas empêché que ses œuvres soient très connues.

1940 - Born in Saint-Marc.
1958 - Died in Saint-Marc.

Among the few facts known about Laurent's short life is that he was employed by the railroad as a blacksmith. His favorite themes were scenes of rural life, American battleships, still life subjects, roosters, fish and vases of flowers. Other themes are drawn more specifically from Voodoo. The distinctive mark of his style is the very basic limning of figures which are then filled in with light strokes of paint. Laurent was a member of the Art Center, and though his career was quite brief, his work is widely known.

Salnave PHILIPPE AUGUSTE

1908 - Né à Saint-Marc, Haïti.

C'est un juriste autodidacte. Trois fois juge de paix, il a écrit plusieurs ouvrages de droit et un recueil de poèmes. En 1958, il commence à peindre pour se procurer des revenus suffisants pour élever ses huit enfants.

Il entre au Centre d'art dès 1960 et se crée un univers où les animaux venus d'Afrique et les hommes vivent en paix.

Il emploie des teintes vives et utilise avec bonheur les aplats. C'est un poète à l'imagination fertile. Ses femmes ailées, ses diables, ses paradis terrestres, ses jungles et ses arbres merveilleux couverts de fruits tropicaux font très vite sa réputation. Très inspiré par les femmes, il peint des nus admirables qui hantent ses toiles.

Cet homme simple, gai et beau parleur participe depuis 1960 à toutes les expositions du Centre d'art en Haïti et à l'étranger.

Il a consacré sa dernière exposition de l'année 1985 à la femme, source du meilleur de son inspiration.

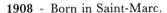

1908 - Born in Saint-Marc.

Auguste is a self-educated lawyer. A three-time magistrate, he has written several works on the law as well as a collection of poetry. In 1958, he began painting to create a sufficient income to raise his eight children. In 1960 he joined the Art Center and created a personal universe where animals from Africa and human beings live together.

He employs vivid hues and makes striking use of flat surface color. His admirable winged women, earthly paradises and marvellous fruit-laden tropical trees earned him immediate recognition. He is very inspired by women, and the female nude haunts his paintings.

Auguste, simple, joyous and well spoken, has participated in all the Art Center's exhibitions since 1960, in Haiti and abroad. He dedicated his 1985 exhibit to women, the source of his keenest inspiration.

« Paradis terrestre ».

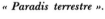

"Earthly Paradise".

Robert SAINT-BRICE

1893 - Né à Pétionville.
1973 - Décédé à Port-au-Prince.

Il commence à peindre vers l'âge de cinquante ans, grâce aux conseils d'un Américain, Alex Johnes, qui lui fait découvrir en particulier les impressionnistes.
En 1949, il devient membre du Centre d'art.
Prêtre du vaudou, il trouve dans la peinture un moyen d'exprimer ses croyances religieuses.
Reproduisant ses rêves, il dit les considérer comme autant de messages de ses ancêtres indiens et africains. Il est très contesté par l'Église qui n'apprécie pas de voir confondues la Vierge Marie et la déesse vaudou Erzulie, l'un de ses sujets préférés.
Considéré comme chef de file d'une école de « peintres du rêve », ses hommes-têtards, ses femmes-sirènes ou ses trinité-loas ont une force d'expression primitive comparable à celle des totems ou des amulettes indiennes, et n'ont, en définitive, rien de naïf.
Il paraît pourtant très différent de ses œuvres : jovial, affectueux et beau parleur, l'amitié et l'amour étant à ses yeux les choses les plus importantes de la vie.
Sa création est telle qu'il a fallu poser à son sujet la question : « l'Art haïtien est-il primitif ou naïf, ou seulement haïtien ? »

1893 - Born in Pétionville.
1973 - Died in Port-au-Prince.

At nearly fifty years of age Saint-Brice began to paint thanks to the encouragement of an American, Alex Johnes, who helped him discover the work of the Impressionists in particular. He became a member of the Art Center in 1949.
A Voodoo priest, he found in painting a vehicle for the expression of his religious beliefs. Saint-Brice depicted his dreams, which he considered to be messages from his Indian and African ancestors. His identification of the Virgin Mary with the Voodoo goddess Erzulie, one of his favorite motifs, has been highly debated by the Catholic Church.
He was considered one of the leaders of the school of dream painters. His tadpole men, mermaids and loas-trinity have a power of primitive expression comparable to totems or Indian amulets. There is nothing naïve about them. Saint-Brice himself, however, was quite a contrast to his paintings: jovial, affectionate and articulate, finding friendship and love the most important things in life.
The nature of his creation has brought up the question, ''is Haitian art primitive or naïve —or simply Haitian ?''

Trinité-Loas, purement vaudouesque.

Loas-Trinity, of pure Voodoo inspiration.

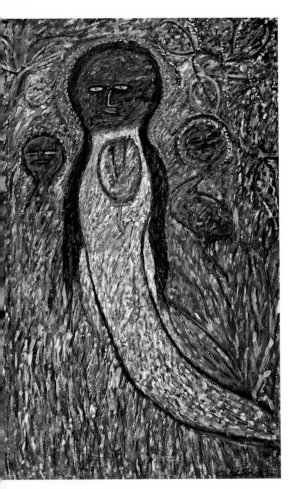

Homme-têtard surgi des rêves afro-indiens de Robert Saint-Brice.

The tadpole-man emerging from the Afro-Indian dreams of Robert Saint-Brice.

Georges AUGUSTE

Cette peinture appartient au musée de Détroit.

The painting belongs to the Detroit Museum.

1933 - Né à Vialet, Petit-Goâve, le 1ᵉʳ janvier.

Il ne fait que trois années d'études scolaires dans son village natal. En 1940, sa mère meurt brûlée dans l'incendie de leur case. Son père le met dans un orphelinat où il apprend le tissage, puis il devient gardien de nuit à l'école d'agriculture de Vialet.
Lors d'un voyage à Port-au-Prince, il rencontre Pierre Eugène qui le fait entrer comme veilleur de nuit au Centre d'art. Il commence à peindre en utilisant les restes de peinture laissés par les peintres du Centre.
La peinture lui permet d'exprimer sa sensibilité traumatisée.
Il reste pendant dix ans l'élève du peintre Néhemy Jean, mais en 1974 il change de style et commence à peindre des scènes de la vie haïtienne, comme il dit les « voir en rêve ». Dans *l'Intemporel*, André Malraux appelle son style « Art brut ». Une de ses toiles a été choisie pour une tapisserie d'Aubusson.

1933 - Born January 1st in Vialet, Petit-Goâve.

Auguste received only three years of schooling in his native village. In 1940 his mother died in a fire in their home, and he was placed in an orphanage where he learned weaving. Later he became a night watchman at an agricultural school in Vialet.
During a trip to Port-au-Prince, he met Pierre Eugène, who secured him a position as night watchman at the Art Center. He began to paint, using material left over by the painters at the Center. He became so enamored of painting that he began to neglect his work.
Painting has enabled Auguste to express his sensibilities, traumatized by the fire still painfully present in his memory.
For ten years he studied with the painter Néhemy Jean, but in 1974 he altered his style and began painting scenes of Haitian life, the way he "sees it in dream." André Malraux, in his book *l'Intemporel*, refers to his style as "Raw Art." One of Auguste's paintings was chosen for an Aubusson tapestry.

Fernand PIERRE

1919 - Né à Carrefour, près de Port-au-Prince, le 1ᵉʳ juillet.

Il est employé comme graveur et commence à travailler l'argile pour fabriquer des petits chiens qu'il vend. En 1947, il découvre le Centre d'art et y échange quelques-uns de ses modelages contre du plâtre. Par la suite, il demande de l'isorel et de la peinture, et se mettant à l'œuvre devient artiste de profession.
Il participe à plusieurs expositions en Haïti et aux États-Unis. Une de ses œuvres figure à l'église épiscopalienne de Port-au-Prince.

1919 - Born July 1st in Carrefour, near Port-au-Prince.

Employed as engraver, Pierre began working in clay, fashioning little dogs and selling them. In 1947 he heard of the Art Center and traded a few of his clay dogs for some plaster. Then he asked for hardboard and paint, set to work, and became a professional artist.
Pierre has taken part in several exhibitions in Haiti and the United States. One of his works is displayed at the Episcopal Church in Port-au-Prince.

Jungle imaginaire. Aucun de ces animaux n'existe en Haïti.

Imaginary jungle. None of these animals exists in Haiti.

Jasmin JOSEPH

1923 - Né à la Grande-Rivière-du-Nord.

Très jeune, il quitte son village natal pour chercher du travail à Port-au-Prince. Il y exerce différents métiers avant d'aboutir dans une briqueterie.

Se familiarisant très vite avec l'argile, il s'essaye au modelage pendant ses heures de loisir : il façonne des formes humaines et des animaux qu'il apporte un jour au Centre d'art. Puis, il découvre les fresques de Bigaud, Bazile et Obin à la cathédrale épiscopalienne de Port-au-Prince et c'est pour lui une véritable révélation. Il est d'ailleurs le seul sculpteur dont les œuvres figurent dans cette même cathédrale.

Son univers artistique est peuplé d'animaux évoluant dans une végétation paradisiaque, mais c'est également un peintre humoriste et ces animaux sont la plupart du temps des représentations satiriques de personnes connues.

1923 - Born in Grande Rivière in northern Haiti.

Very young Joseph left the village of his birth to seek work in Port-au-Prince. He worked at various trades before ending up in a brickyard.

He quickly became familiar with work in clay and attempted to sculpt during his leisure hours. He modeled human and animals forms which he took to the Art Center one day. Then he discovered the murals of Bigaud, Bazile, and Obin at the Episcopal Cathedral in Port-au-Prince. For Joseph, these were a true revelation. He became the only sculptor whose works are included there.

Joseph's artistic universe is filled with animals wandoring through paradisiacal vegetation, but he is a humorist: these animals are most often satiric representations of well-known people.

Les représentations visuelles qui ont inspiré l'artiste sont le plus souvent issues d'ouvrages religieux ou de fables pour enfants.

The artist found his inspiration in the pictures in religious works or children's stories.

Maurice VITAL

Offrande aux sirènes. | *Offering to the Sirens.*

1949 - Né à Jacmel, le 10 octobre.

Neveu de Paléus Vital, il est très tôt initié à la peinture. En 1969, il commence à peindre avec Jean-Louis Sénatus, Raymond Dorléans et Edgar Brierre avec lesquels il travaille jusqu'en 1973.
Il expose entre 1974 et 1983 aux États-Unis, en France, en Guadeloupe, en Martinique, au Danemark, à Curaçao, en Italie, en Suisse et en Angleterre.
Largement inspiré par le culte vaudou, il peint également ce que son imagination puise au fond des océans.
Ses recherches et son évolution distinguent très nettement son style de celui de son oncle.

1949 - Born in Jacmel.

A nephew of Pauleus Vital, Maurice was introduced to painting as a youngster but his main concerns and development distinguish his style from that of his uncle. In 1969, he began to paint with Jean-Louis Sénatus, Raymond Dorléans and Edgar Brierre, with whom he continued to work until 1973. From 1974 to 1983 he exhibited in the United States, France, Guadeloupe, Martinique, Denmark, Curaçao, Italy, Switzerland and England.
Inspired in the main by Voodoo, he also paints what his imagination retrieves from ocean floors.

Offrande aux loas. | *Offering to the Loas.*

Lionel SAINT-ÉLOI

1950 - Né à Port-au-Prince, en juin.

Il entre en 1972 au Centre d'art. Il étudie la céramique à Poto-Mitan jusqu'en 1975. Il a rompu avec la tradition des couleurs fortes leur préférant les grisailles et les tons délavés. S'appuyant sur un dessin précis il reprend un principe de composition cher à Hector Hyppolite, Rigaud Benoit, Dieudonné Cédor, Gesner Abélard, qui consiste à enfermer le motif central en l'entourant de branches, de fleurs et autres motifs végétaux.

1950 - Born in June in Port-au-Prince.

Saint-Éloi joined the Art Center in 1972 and studied ceramics in Poto-Mitan from 1973 to 1975.
He broke with the tradition of vivid colors, preferring greyish and washed out tones. Relying on precise drawing, he took up a compositional principle dear to Hector Hyppolite, Rigaud Benoit, Dieudonné Cédor and Gesner Abélard: enclosing the central motif in flowers and other plant themes.

Gérard VALCIN

Baptême vaudou. | *Voodoo baptism.*

1925 - Né à Port-au-Prince.

Il commence à peindre au Centre d'art, en 1950.

Il est l'un des peintres primitifs haïtiens les plus cotés. Ses sujets (cérémonies vaudou, paysages et scènes de la vie paysanne) expriment profondément la réalité haïtienne.

1925 - Born in Port-au-Prince.

Valcin began to paint at the Art Center in 1950.

He is one of the most esteemed Haitian primitive painters. His topics are Voodoo ceremonies, landscapes and scenes of country life, all deeply echoing Haitian reality.

Cérémonie à Agoué, dieu de la mer.

Ceremony for Agoué, god of the sea.

Madsen MONPREMIER

1952 - Né aux Gonaïves, le 12 août.

Il s'établit à Port-au-Prince en 1972 et devient l'élève de Gérard Valcin en 1973.
De 1979 à 1985, il expose en Italie, en France et aux États-Unis. Il recrée dans son œuvre l'atmosphère mystico-religieuse des cérémonies vaudou.

1952 - Born in Gonaïves.

Monpremier moved to Port-au-Prince in 1972 and the following year became a student of Gérard Valcin. He is a painter who recreates on canvas the mystical atmosphere of Voodoo ceremonies. Between 1979 and 1985 he exhibited in Italy, France and the United States.

Camy ROCHER

1959 - Né à Baradères, au sud d'Haïti.
1981 - Décédé.

Il commence à peindre sous la direction de Calixte Henri, franchissant cette étape pour rendre témoignage de sa culture vaudou.
Exposé par plusieurs galeries haïtiennes, il meurt prématurément, laissant une œuvre importante.

1959 - Born in Baradères, southern Haiti.
1981 - Died.

Rocher began to paint in 1971 under the direction of Calixte Henri, with the intention of bearing witness to his Voodoo culture.
His work is exhibited in several Haitian galleries. He died in 1981, leaving behind him a significant body of work.

Préfète DUFFAUT

1923 - Né à Jacmel, le 1er janvier.

Enfant taciturne, renfermé, il vit une enfance malheureuse avec une mauvaise mère et le dessin est son seul moyen d'expression. À douze ans il travaille comme charpentier avec son père et l'aide à construire des voiliers à Jacmel. Il raconte comment la Vierge Marie lui apparaît en rêve à l'île de la Gonâve et l'amène à sculpter une pièce décorative pour la chapelle qui lui est dédiée.

En 1944, il se présente à Rigaud Benoit en visite à Jacmel, à la recherche de nouveaux talents pour le Centre d'art.

Peintre naïf, il commence par peindre sa ville avec une minutieuse précision, puis évolue vers un style plus sophistiqué ou plus fantastique selon les toiles, où son imagination débridée se joue des lois de la pesanteur.

Il entre au Centre d'art en 1948 encouragé par un Américain vivant en Haïti : Bill Kraus. En 1951, il fait une fresque à la cathédrale Sainte-Trinité. Poète et mystique, on peut dire de lui qu'il est un peintre onirique décrivant ses espoirs et ses croyances comme en témoigne sa célèbre toile de la *Vierge au sommet de la montagne.*

Ses œuvres sont exposées aux États-Unis et en Europe. C'est l'un des grands peintres du Centre d'art.

Ses paysages montagneux où les routes s'enroulent comme des serpentins, ses villes aux rues remplies de petits personnages font sa renommée dans le monde entier.

Anniversaire de la Sirène, mère de la mer.

Birthday of the Siren, mother of the sea.

1923 - Born January 1st in Jacmel.

A taciturn, introverted youth, Duffaut lived through an unhappy childhood ruled by an incompetent mother, with drawing as his only expressive outlet. At 12 he worked with his father as a carpenter, assisting him as a sailboat builder in Jacmel. He recounted that the Virgin Mary appeared to him in a dream at La Gonâve Island, leading him to produce an ornamental sculpture for the chapel dedicated to her.

In 1944, he introduced himself to Rigaud Benoit, visiting Jacmel as a talent scout for the Art Center.

A naïve painter, Duffaut started out doing highly precise paintings of his home town, then shifted toward a style at times sophisticated, at times fantastic, depending on the painting, allowing his unbridled imagination to tinker with the laws of gravity. Encouraged by an American artist living in Haiti, Bill Kraus, Duffaut joined the Art Center in 1948. In 1951, he painted a mural at the Holy Trinity Cathedral. A poet and mystic, he might be said to be a dream's painter depicting his hopes and beliefs, as exemplified by his famous painting *Virgin on the Mountain Top*.

His work is exhibited in the United States and Europe. He is one of the Art Center's leading painters. He is world renowned for his mountainous landscapes with serpentine roads and his crowded street scenes.

On n'en peut plus de suivre les mille routes où nous entraîne Préfète Duffaut. Il nous miniaturise. Nous devenons un personnage de son univers...

The thousand paths of Préfète Duffaut are exhausting to follow. He makes miniatures of us and we become a character in his own universe...

André PIERRE

1916 - Né à Port-au-Prince.

Agriculteur, il décide un jour de se vouer au culte vaudou. En 1927, il vit modestement à la Croix-des-Missions, près de Port-au-Prince, à proximité d'un temple.
Peintre religieux et héritier spirituel d'Hector Hyppolite, il devient l'un des meilleurs artistes inspirés par cette religion. En 1947, il rencontre une jeune Américaine Maya Deren, très connue pour son livre et son film sur le vaudou, qui le présente au Centre d'art. Dès 1959, il décide de se consacrer entièrement à la peinture.
Il décore des temples vaudou, ce sont ses premières œuvres, et exécute des peintures sur calebasses.
Il est très célèbre dans sa communauté et très respecté.
La galerie Issa lui procure un atelier et expose ses œuvres. Il participe également à toutes les expositions organisées par le Centre d'art.

1916 - Born in Port-au-Prince.

Pierre, a farmer, decided one day to devote his life to Voodoo. By 1927 he was living modestly close to a Voodoo temple at Croix-des-Missions, near Port-au-Prince. A religious painter and spiritual heir of Hector Hyppolite, Pierre became one of the outstanding artists of Voodoo.
In 1947 he met the young American Maya Deren, well known for her book and film on Voodoo, and she introduced him to the Art Center. From 1959 on he devoted himself entirely to painting. He decorated Voodoo temples, which was his first work, and did paintings on calabashes. Pierre is highly renowned and respected in his community. The Issa Gallery provides him with a studio and exhibits his work. He also takes part in all the Art Center shows.

Le labyrinthe du panthéon vaudou.

The Labyrinth of the Voodoo Pantheon.

Gérard PAUL

1943 - Né à Port-au-Prince.

Orphelin à six ans, il est recueilli par sa marraine. À quatorze ans il est apprenti ébéniste, puis maçon, et finalement peintre en bâtiment.
Il peint en 1965 son premier tableau, essai timide, à l'aide de résidus de peinture.
Madame Malsy Minsk, épouse de l'ambassadeur d'Allemagne, trouve son travail original et lui fait don d'une boîte d'aquarelle. Elle lui achète ses premiers tableaux.
Il entre en 1972 à la galerie Monnin à Port-au-Prince où il est rapidement remarqué et apprécié. Cette même année, il expose à Paris, à la galerie Séraphine, en exclusivité.
Peintre du vaudou, c'est un personnage gai et affable.

1943 - Born in Port-au-Prince.

Orphaned at six years of age, Paul went to live with his godmother. At fourteen he was an apprentice cabinetmaker, then became a mason, and finally a house painter.
In 1965 he executed his first painting, a timid attempt, using leftover paint. The German ambassador's wife, Mrs. Malsy Minsk, found his work original and gave him a box of watercolors. She then purchased his first paintings.
In 1972 Paul became associated with the Monnin Gallery at Port-au-Prince, winning rapid recognition. He had an exhibition at the Séraphine Gallery in Paris the same year.
Paul is a painter of Voodoo, and a man noted for his happy, affable manner.

Saincilius ISMAËL

1940 - Né à Petite-Rivière-de-l'Artibonite, le 24 avril.

Il fait ses études chez les frères de Saint-Marc et au lycée Anténor Firmin. En 1956, après une visite au Centre d'art et au Foyer des arts plastiques, il se met à peindre aidé de Blas et Géo Remponeau.
Il participe en 1967 à la fondation de la salle d'exposition Albert Schweitzer à Deschapelle, en Haïti.
Il est actuellement responsable du Centre de céramique de Deschapelle.

1940 - Born April 24, in Petite-Rivière on the Artibonite River.

Ismaël was schooled with the Friars of St. Mark and at Anténor Firmin High School. In 1956, after a visit to the Art Center and the Hall of Plastic Arts, he began to paint, aided by Blas and Géo Remponeau.
He participated in the foundation of the Albert Schweitzer Exhibition Hall at Deschapelle, Haiti in 1967 and has been in charge of the Ceramics Center in Deschapelle since 1985.

Exemple remarquable de l'intégration de l'art chrétien dans le vaudou.
Les jumeaux sont investis de pouvoirs magiques.

A remarkable example of the penetration of Christian art into Voodoo.
The twins have magical powers.

Pierre-Joseph VALCIN

Vers **1925-1927** - Né à Port-au-Prince.

Sa mère est couturière et son père chauffeur d'autobus. Il est élevé par la mère du peintre Gérard Valcin. Il travaille comme mécanicien, puis comme maçon.
Au début des années 60, il se rend au Foyer des arts plastiques avec son demi-frère Gérard Valcin. En 1966, il entre au Centre d'art.
C'est un peintre naïf, très proche de la nature et des coutumes de son pays.
Ses oiseaux mystérieux et paradisiaques, ses femmes étranges à la chevelure rouge ou rose, ses fleurs de rêve, disproportionnées, font de lui un des très grands peintres naïfs haïtiens.

1925-27 - Born in Port-au-Prince (exact year unknown).

Valcin's mother was a seamstress and his father a bus driver. He was raised by the mother of the painter Gérard Valcin. He worked as a mechanic, then as a mason. In the early 1960s, he came to the Hall of Plastic Arts with his half-brother Gérard Valcin, then joined the Art Center in 1966.
Valcin is a naïve painter, very close to nature and his country's customs. His mysterious, "paradise" birds, his strange women with red or pink hair and his dreamlike disproportionate flowers make him one of Haiti's greatest naïve painters.

« La coiffure ». | "The Hairdo."

Gervais Emmanuel DUCASSE

DÉFILER DES RÉGIMENTS DE L'ARMÉE.

1903 - Né à Port-au-Prince.

Après son baccalauréat il devient un agent agricole pour le gouvernement ce qui l'amène à voyager à travers le pays. En 1948, il visite les États-Unis.
S'étant mis à la peinture il se spécialise dans les sujets historiques et peint l'épopée des *Cacos,* des *Soldats de la garde militaire* ainsi que certains personnages légendaires. Il immortalise les *Musiciens de l'armée* et les *Soldats...* Ses sujets sont à peine esquissés et très enfantins. Il représente « l'ancien Haïtien » dans sa façon de s'habiller et de vivre.

1903 - Born in Port-au-Prince.

After receiving his baccalaureat, Ducasse became a government farm agent, travelling throughout the country. In 1948, he visited the United States. He took up painting, specializing in historical subjects, particularly the era of the *Cacos* (rebel leaders), the *Soldiers of the Guard* and various legendary personages. He immortalized *Army Musicians* and *Soldiers...*
His subjects are barely sketched in, highly childlike. He depicts the "old Haitian," his modes of dress and way of life.

André NORMIL

1934 - Né à Port-au-Prince, le 26 septembre.

Il débute en 1951 au Centre d'art.
C'est un humoriste qui traduit avec finesse la fête et le vaudou. Il est connu pour ses paradis, ses arches de Noé ainsi que ses scènes de carnaval.
En 1969, il expose en Angleterre, puis en 1970, en Allemagne et en Italie et en France en 1971.
Il est surtout présenté en Haïti par la galerie Issa.

1934 - Born September 26 in Port-au-Prince.

Normil joined the Art Center in 1951. He is a humorist with a subtle eye for depicting themes of Voodoo and holiday celebrations and is famous for his paradise scenes, his Noah's arks and depictions of the carnival.
In 1969 he exhibited in England, in 1970 in Germany and Italy, in 1971 in France. The Issa Gallery in Haiti is one of the principal exhibitors of his work.

Tout Haïti est là ! Sous nos yeux.
Rien ne manque.
Pas même le sinistre Tonton Macoute
ni les bouteilles de tafia...

Haiti is there ! Right before our eyes. Nothing is missing. Not even the sinister Tonton Macoute or the bottles of tafia...

115

Damien PAUL

1941 - Né à Drouillard, dans la plaine du Cul-de-Sac.

Il aide ses parents à cultiver la terre. En 1968, il commence à travailler le métal avec Janvier Louis Juste, près de la Croix-des-Bouquets. Il entre en 1969 au Centre d'art comme sculpteur.
Fasciné par la couleur, il devient peintre tout en continuant ses « fers découpés » qui lui valent un succès certain.
Le vaudou est son sujet préféré.

1941 - Born in Drouillard, on the Cul-de-Sac plain.

Paul helped his parents to farm until 1968, when he took up metal-working with Janvier Louis Juste near Croix-des-Bouquets.
Paul joined the Art Center as a sculptor in 1969. Fascinated by colour, he became a painter while continuing his consistently successful work in cut iron.
His favorite subject is Voodoo.

Bourmond BYRON

1923 - Né à Jacmel.

Il vit en perpétuels déplacements entre Jacmel et Les Cayes et ne vient à Port-au-Prince que pour ses contacts avec les galeries.
Il est un fervent adepte du vaudou. C'est un homme calme et paisible.
Il entre au Centre d'art en 1955.
Ses sujets, depuis le début, sont peints dans les tons bleu-vert qui font sa renommée. Il utilise également le rouge magenta et l'ocre. Ses toiles sont imprégnées d'une lumière semi-mystique.
Il pourrait faire partie d'une certaine « école de Jacmel » par ses scènes de vie haïtienne et ses paysages de rêve.

1923 - Born in Jacmel.

Byron constantly goes back and forth between Jacmel and Les Cayes, visiting Port-au-Prince only to maintain his gallery contacts. A placid, tranquil man, he is a fervent adept of Voodoo. He joined the Art Center in 1955.
From the outset he painted his subjects in the blue-green tones for which he is famous. He also makes use of magenta and ochre. His canvases are suffused with a semi-mystical luminescence. Byron might be considered part of the Jacmel school for his scenes of Haitian life and dream landscapes.

Les fastes de l'Empire.

The Feasts of the Empire.

Alexandre GRÉGOIRE

1922 - Né à Jacmel, le 29 août.

Il entre au Centre d'art, où il se trouve en compagnie de Gérard Valcin et de Préfète Duffaut.
Ses œuvres sont dans la plus pure tradition naïve. Ses sources d'inspiration favorites sont le paradis, le vaudou, les événements historiques et la vie quotidienne d'Haïti.

1922 - Born August 29 in Jacmel.

Grégoire joined the Art Center where he made the acquaintance of **Préfète Duffaut** and **Gérard Valcin**.
Grégoire's paintings are in the purest naïve tradition.
His favorite sources of inspiration are paradise, Voodoo, historical events and daily life in Haiti.

Montas ANTOINE

1926 - Né à Léogane.

Il devient militaire dans l'armée d'Haïti et entre au Centre d'art en 1950. Dix ans plus tard, il décide de se consacrer entièrement à la peinture.
Le style de cet homme charmant, simple, toujours souriant, est direct et enfantin. Il emploie des couleurs fortes et ses compositions dépouillées font la joie des collectionneurs. Il peint des scènes de rue, avec des cocotiers bordant la mer, des huttes paysannes où il fait bon vivre, et ses mariages paysans sont exquis.

1926 - Born in Léogane.

After service as a soldier in the Haitian army, Antoine began to paint at the Art Center in 1950. In 1960 he decided to devote himself entirely to painting.
This charming, simple, ever smiling man paints in a direct and childlike style. He uses strong colors, and his pared down compositions are popular among collectors. He paints street scenes, with palm trees lining the coast and peasant huts teeming with life. His renditions of rural marriages are exquisite.

Max Pinchinat était, vers la fin de sa vie, de plus en
plus retiré dans le secret de son atelier. Son œuvre
exprime souvent le tourment qui l'habita depuis le jour
où, officier de l'armée, il tira sur un manifestant en
janvier 1946.

Max Pinchinat withdrew into the secrecy of his studio
toward the end of his life. His work often portrays the
torment he experienced over the day in January, 1946,
when, as an Army officer, he shot a demonstrator.

L'éclatement

Le Centre d'art, né de peintres modernes, venait de découvrir ceux que, commodément, on nomma « naïfs ».
Il était normal et nullement contradictoire — pensait-on — que cohabitassent ces chantres d'une même culture.

C'était le vœu de Dewitt Peters, défendant et promouvant à la fois, avec sans doute un peu trop de sollicitude pour certains, ces « peintres-paysans » qui devaient un jour émerveiller le monde.
Malgré ses efforts, cette peinture magique aux vibrations de tambours, aux odeurs d'histoire, aux vertiges incantatoires, ne répondit pas aux préoccupations de ceux des modernes qui menaient de leur côté leur propre ballet de couleur.

Ils eurent besoin de lieux où ils pouvaient, entre eux, débattre et mener à bien leurs créations spécifiques.

Ce fut donc, un jour, l'éclatement, avec la fondation du Foyer des arts plastiques et le départ du Centre de quelques-uns de ses membres. Puis furent créées Brochette, Calfou, Poto-Mitan, Saint-Soleil, Studio Athénée, L'Atelier, l'ANAH, Beaux-Arts, les Galeries d'art et Toukouleur qui donnèrent naissance à des centaines d'autres artistes nouveaux, s'illustrant les uns et les autres par de nombreux chefs-d'œuvre.

Mais il demeure, à travers l'histoire de la peinture haïtienne tout entière, comme une odeur de mornes et de combites, de palmiers et de lianes, comme un goût unique de terroir... C'est l'âme de tout un peuple qui passe à travers ces œuvres... Haïti, incroyable et gigantesque Centre d'art... Ce fut le rêve de Peters...

G.B.

Breaking away

The Art Center, created by *modern* painters, had just discovered those artists comfortably referred to as *naïves*. It was normal and far from contradictory —it was thought— that these artists singing the praises of the same culture should coexist. This was Dewitt Peters' wish when he defended and promoted (perhaps too solicitously, in the case of some) these ''peasant-painters'' who were one day to amaze the world.

Despite his efforts, this magical painting with its vibrancy of drums, redolence of history, incantatory fevers, did not fit in with the concerns of those moderns who were staging their own ballet of color. They needed a place of their own to work out and follow their particular creation. Thus one day the inevitable split occurred, with the departure from the Center of several of its members and the founding of the Hall of Plastic Arts. Next came the creation of *Brochette,* then *Calfou, Poto-Mitan, Saint-Soleil, Studio Athénée, L'Atelier, l'ANAH, Beaux-Arts, Les Galeries d'Art* et *Toukouleur,* producing hundreds of new artists, with each trend distinguished by numerous masterpieces.

But throughout its history, all of Haitian painting is pervaded by the aroma of our *mornes* —hills and mountains— of peasant rejoicing at *combites,* of palm trees and lianas, a singular flavor of the soil. What is communicated through these works is the soul of a whole people... Haiti, one gigantic, incredible Art Center... This was Peters' dream.

G.B.

LE FOYER DES ARTS PLASTIQUES
THE HALL OF PLASTIC ARTS

Max PINCHINAT

1925 - Né à Port-au-Prince, le 24 juin.
1985 - Décédé à Paris, en novembre.

Après des études secondaires il entre à l'Académie militaire d'où il ressort sous-lieutenant. En 1947, il entre au Centre d'art et obtient en 1949 la médaille d'or de l'Exposition internationale à Port-au-Prince.

Il devient critique d'art au *Nouvelliste* et à *Notre temps*. Il collabore également à la revue *Conjonction* de l'Institut français d'Haïti. En 1950, il est l'un des fondateurs du Foyer des arts plastiques avec Lucien Price, Dieudonné Cédor, Luckner Lazard... et en devient le premier président.

Il démissionne de l'armée et du Foyer des arts plastiques en 1951 pour accepter une bourse du gouvernement français.

De 1952 à 1954, il réside à Paris. En 1956, il effectue un séjour de quelques mois en Haïti, puis revient s'installer définitivement à Paris. Correcteur à l'imprimerie Georges Lang en 1966, il quitte l'imprimerie pour le journal *le Monde* en 1968 où il occupe les mêmes fonctions.

De 1949 à 1961, il expose fréquemment en Haïti, en France, aux États-Unis, au Mexique, en Amérique du Sud et en Allemagne.

1925 - Born June 24 in Port-au-Prince.
1985 - Died in November in Paris.

After his secondary studies Pinchinat entered the Military Academy, where he achieved the rank of sub-lieutenant. In 1947 he joined the Art Center and in 1949 won the gold medal at the International Exhibition in Port-au-Prince. He became an art critic for the *Nouvelliste* and *Notre-Temps*. He also contributed to *Conjonction*, the journal of the French Institute in Haiti.

In 1950, he was one of the founders of the Hall of Plastic Arts with Lucien Price, Dieudonné Cédor, Luckner Lazard, etc., and became its first president. He resigned from the army and from the Hall of Plastic Arts to accept a scholarship from the French government in 1951. From 1952 to 1954 he lived in Paris.

After a brief stay in Haiti for a few months in 1956, Pinchinat returned to Paris to stay. In 1966 he became a proof-reader at the Georges Lang printing house, then joined le *Monde* in 1968. Between 1949 and 1961 he exhibited frequently in Haiti, France, the United States, Mexico, South America and Germany.

Roland DORCELY

On retrouve dans certaines toiles de Roland Dorcely l'influence du peintre français Fernand Léger.

Some paintings by Roland Dorcely show the influence of the French painter Fernand Léger.

1930 - Né à Port-au-Prince.

Il fait ses études à Saint-Louis-de-Gonzague, puis au lycée Pétion.

En 1946, il entre au Centre d'art. Cette année-là, il vient en France où il étudie avec Fernand Léger et André Masson.

Il collabore en 1964 au Foyer des arts plastiques en Haïti et fonde la galerie Brochette avec Luckner Lazard. En 1962, il revient à Paris jusqu'en 1969, date à laquelle il retourne définitivement en Haïti.

De 1946 à 1961, il expose en Haïti, aux États-Unis et en France. Il obtient en 1947 le premier prix décerné par le président Dumarsais Estimé lors d'une exposition en Haïti.

Ses œuvres se retrouvent dans de nombreuses collections privées et dans certains musées tels le musée d'Art moderne de Paris et le Museum of Modern Art de New York.

De 1961 à 1977, il expose également en Colombie et au Canada.

1930 - Born in Port-au-Prince.

Dorcely was schooled at St. Louis de Gonzague and Pétion High School. In 1946 he joined the Art Center and the same year travelled to France, where he studied with Fernand Léger and André Masson.

He participated at the Hall of Plastic Arts and founded *Brochette* with Luckner Lazard in 1954. He returned to France and lived in Paris from 1962 on. He moved back to Haiti in 1969.

From 1946 to 1961 Dorcely exhibited in the United States and France. He received the First Prize awarded by President Estimé Dumarsais at a Haitian exhibition in 1947.

His paintings are in many private collections as well as museums such as the Museum of Modern Art in Paris and the New York Museum of Modern Art. During the period 1961-1977 he exhibited in Colombia and Canada.

Elzire MALEBRANCHE

1919 - Née à Port-au-Prince, le 7 juillet.

Elle entre au Centre d'art en 1948.
De 1950 à 1975, elle expose fréquemment en Haïti, également au Brésil, aux États-Unis, au Mexique et à Paris.
Une de ses toiles, *le Génie* est au musée du collège Saint-Pierre à Port-au-Prince.

1919 - Born July 7 in Port-au-Prince.

Malebranche joined the Art Center in 1948. Between 1950 and 1975, she exhibited frequently in Haiti as well as in Brazil, the United States, Mexico, and Paris. One of her canvases, *Le Génie,* is in the museum at St. Pierre's College in Port-au-Prince.

L'Indien. | *The Indian.*

Jacques GABRIEL

1934 - Né à Port-au-Prince, le 12 octobre.

Il fait ses études à la New School of Social Research de New York et au studio de Camilio Egas. En 1962, il obtient une bourse du gouvernement français pour étudier à l'École des beaux-arts de Paris. En 1964, le musée d'Art moderne de la Ville de Paris acquiert l'un de ses dessins intitulé *Transparences.*
De 1957 à 1985, il expose aux États-Unis, en France, en Italie et à la Jamaïque. En Haïti, la galerie Marassa a organisé de nombreuses expositions de ses œuvres.

Une marchande. | *A market-woman.*

1934 - Born October 12 in Port-au-Prince.

Gabriel studied at the New School of Social Research in New York and in the studio of Camilio Egas. In 1962 he received a scholarship from the French government to study at the École des Beaux-Arts in Paris. In 1964, the Museum of Modern Art of the City of Paris acquired one of his crawings, entitled *Transparencies.* He exhibited in the United States, France, Italy, and Jamaica between 1957 and 1985. In Haiti, his work is frequently shown at the Marassa Gallery.

Louis Vergniaud PIERRE-NOËL

1910 - Né à Port-au-Prince, le 2 août.
1982 - Décédé.

Dès l'âge de dix ans, il montre des qualités de dessinateur au-dessus de la moyenne.
En 1934, il se rend à New York pour étudier les arts graphiques à l'université de Columbia et fait durant six ans de remarquables dessins entomologiques pour le Muséum américain d'histoire naturelle. En 1945, il entre au Centre d'art.
En 1947, il étudie à Buenos Aires, puis à Paris à l'académie de la Grande Chaumière. En 1949, il reçoit la médaille d'or pour ses timbres commémoratifs du bicentenaire de Port-au-Prince et épouse, à Grasse, en France, Lois Maïlou Jones de Boston, peintre connu internationalement.
De 1965 à 1972, ses timbres lui valent une réputation et de nombreuses distinctions internationales. On peut citer des tirages spéciaux pour la Croix-Rouge, pour le IIIᵉ congrès interaméricain et caraïbe et un autre commémorant le 70ᵉ anniversaire de l'Organisation panaméricaine de la santé. L'Association of Industrial Artists de Washington lui décerne le prix d'excellence pour son dessin *Hommage au président John F. Kennedy*.
Pendant ces vingt dernières années, il a travaillé comme technicien des médias visuels pour l'Organisation panaméricaine de la santé à Washington.

1910 - Born August 2 in Port-au-Prince.
1982 - Died.

From the age of ten, Pierre-Noël showed extraordinary drawing ability. In 1934, he went to New York to study graphic art at Columbia University. During his six years in New York he produced remarkable entomological drawings for the American Museum of Natural History. He became a member of the Art Center in 1945.
In 1947, he studied in Buenos Aires, then in Paris at the Grande Chaumière Academy. His stamps commemorating the bicentennial of Port-au-Prince won a gold medal in 1949. In Grasse, France, he married the internationally known painter Lois Maïlou Jones of Boston.
From 1965 to 1972 Pierre-Noël's stamps earned him an international reputation. His work included special editions for the Red Cross and the Third Interamerican Caribbean Congress, as well as a commemorative stamp for the seventieth anniversary of the Pan-American Health Organization. His drawing *Homage to President John F. Kennedy* was awarded the Prize for Excellence by the Washington Association of Industrial Artists.
During the last twenty years of his life, Pierre-Noël worked in visual media for the Pan-American Health Organization in Washington.

Louis Vergniaud Pierre-Noël fut un graveur remarquable. Il était en outre connu pour sa grande gentillesse, sa simplicité et son exquise courtoisie.

Louis Vergniaud Pierre Noël was an excellent engraver. He was especially appreciated as a kind, straightforward man of exquisite courtesy.

123

Néhemy JEAN

1931 - Né au Limbé.

En 1947, il rejoint le Centre d'art grâce à Dieudonné Cédor.
Il participe à la fondation du Foyer des arts plastiques.
Il travaille comme dessinateur à l'Audio-Visuel Center et devient chef de la section d'art graphique.
Vergniaud Pierre-Noël et Géo Remponeau l'aident à améliorer sa technique, puis il étudie l'art du portrait avec Kurt Brachmann et Klonis à New York.
Il est l'un des fondateurs de Brochette et, en 1958, il obtient une bourse pour le Brésil où il est influencé par le fresquiste Portineau.
De retour en Haïti, il peint des fresques à l'aéroport, à l'Hôtel El Rancho ainsi qu'à l'Hôtel Choucoune. Il est également le créateur de la galerie, l'Atelier, où il enseigne son art.
Il a exposé en Europe, aux États-Unis et quelques-unes de ses œuvres font partie de plusieurs importantes collections.

1931 - Born in Limbé.

Jean was brought into the Art Center in 1947 by Dieudonné Cédor and later took part in the founding of the Hall of Plastic Arts. He worked as a designer at the Audio-Visual Center and became head of its graphic arts department. He was aided in the development of his technical skills by Vergniaud Pierre-Noël and Géo Remponeau, and studied portrait technique with Kurt Brachmann and Klonis in New York.

Jean was one of the founders of *Brochette*. In 1958, he won a scholarship to Brazil, where his work was influenced by the muralist Portineau. On his return to Haiti, Jean painted murals at the airport, the Hotel El Rancho and the Hotel Choucoune. He also created the Atelier Gallery, where he teaches art. Jean has exhibited in Europe and the United States, and his works are included in several important collections.

Néhemy Jean a su nous révéler avec réalisme la gravité profonde des femmes haïtiennes.

Néhemy Jean has given us a realistic portrayal of the profound gravity of the Haitian woman.

Georges HECTOR

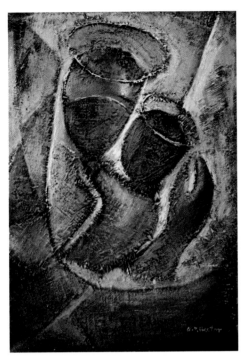

La Vierge à l'Enfant.

Virgin with Child.

1938 - Né à Petite-Rivière-de-l'Artibonite, en Haïti.
En 1952, il entre au Centre d'art et étudie avec Louverture Poisson le paysage de « plein air ».
En 1966, il peint une fresque à l'aéroport de Port-au-Prince. En 1968, il fonde le Koumbit Studio, lieu de rencontre d'artistes et d'intellectuels et publie *Poèmes de l'abstrait.*
De 1969 à 1974, il voyage aux États-Unis, à Saint-Domingue et à la Jamaïque, puis retourne en Haïti.
Il devient en 1977 le premier secrétaire général de l'Association nationale des artistes haïtiens (ANAH) et fonde le *Courrier des Arts.* En 1979, il crée le groupe « Troisième génération » qui s'occupe d'artisanat, de peinture et de littérature.
De 1965 à 1977, il expose en Haïti, au Sénégal, à la Jamaïque, à Porto Rico, aux États-Unis et en république Dominicaine.

1938 - Born in Petite Rivière, Artibonite.

In 1952 Hector joined the Art Center. He studied outdoor landscape painting with Louverture Poisson. In 1966, he painted a mural at the International Airport in Port-au-Prince.
In 1968, he founded the Koumbit studio, a meeting place for artists and intellectuals and published *Poems from the Abstract.* From 1969 to 1974 he travelled to the United States, Santo Domingo and Jamaica, then returned to Haiti.
In 1977 Hector became the first general secretary of the National Association of Haitian Artists (ANAH), and founder-editor of *Courrier des Arts.* In 1979, he created the group *Third Generation,* devoted to arts and crafts, painting and literature. Between 1965 and 1977 he exhibited in Haiti, Senegal, Jamaica, Puerto Rico, the United States and the Dominican Republic.

Charles OBAS

1927 - Né à Plaisance, au nord d'Haïti.
1968 - Décédé.

Il commence sa carrière d'artiste au Centre d'art en 1948, qu'il abandonne deux ans plus tard pour participer à la fondation du Foyer des arts plastiques. Il expose aussi bien en Haïti, aux États-Unis, qu'en Amérique du Sud.
Parallèlement à sa carrière de peintre, il poursuit avec un même bonheur celle de musicien.
Artiste sensible, ses toiles sont caractéristiques par ses scènes de pluie et ses camaïeux de gris.

1927 - Born in Plaisance, northern Haiti.
1968 - Died.

Obas' artistic career began at the Art Center, which he left two years later to found the Hall of Plastic Arts. His work was exhibited in Haiti, the United States and South America. While pursuing his painting career, Obas was an equally talented musician. An artist of great sensitivity, he painted canvases characterized by scenes of rain and monochromes in grey.

Haïti sur la Croix.

Haiti on the Cross.

Rose-Marie DESRUISSEAU

1933 - Née à Port-au-Prince, le 30 août.

Son enfance à Diquini parmi les gens simples, son humeur chaleureuse, un désir profond de communiquer, de parler à ses contemporains, la préparent à comprendre et à aimer l'Art. La peinture répond à ses exigences profondes. Très jeune, bravant les résistances de son entourage, elle s'adonne au culte des formes et des couleurs.
Elle entre au Centre d'art en 1948 et étudie avec Lucien Price.
Inscrite à l'Académie des beaux-arts d'Haïti, à partir de 1958, elle étudie sous la direction de Amerigo Montagutelli et Géo Remponeau. Puis elle travaille dans l'atelier de Pétion Savain. Elle participe à tous les mouvements culturels du pays :
— en 1958-1961 au Foyer des arts plastiques, à la galerie Brochette et à la galerie Calfou ;
— en 1960, à la galerie Brochette aux côtés de Luckner Lazard, Dieudonné Cédor, Denis Émile, Néhemy Jean, Tiga et Antonio Joseph.
Elle entreprend des recherches picturales très poussées sur le vaudou.
En 1963, son œuvre gagne en force. De 1967 à 1972, elle fait des études ethnographiques. En 1977, elle enseigne à l'Académie des beaux-arts.
Elle expose de 1960 à 1980 dans la plupart des galeries haïtiennes mais aussi au Sénégal, à Caracas, à Santo Domingo, aux États-Unis, au Canada et en Martinique. Elle participe aussi à différentes expositions de l'Institut français d'Haïti. Elle obtint en 1974 le premier prix Jacques Roumain pour sa toile *Délivrance* à la galerie Nader.

1953 - Born August 30 in Port-au-Prince.

Desruisseau's childhood in Diquini among simple people, her warm humor, her keen desire to communicate, to speak to her contemporaries, paved the way for her understanding and love of art. Painting fulfills deep needs for her. Braving the misgivings of those around her, she devoted herself to the worship of color and form while quite young.
She studied under the direction of Amerigo Montagutelli and Géo Remponeau at Haiti's Academy of Fine Arts, then worked in the studio of Pétion Savain. She has taken part in all the country's cultural movements: from 1958 to 1961 she participated in the Hall of Plastic Arts, *Brochette* and *Calfou*. In 1960 she worked side by side with Luckner Lazard, Dieudonné Cédor, Denis Émile, Néhemy Jean, Tiga and Antonio Joseph at Brochette. She undertook intensive pictorial studies of Voodoo.
By 1963, Desruisseau's work had developed considerable forcefulness. She studied ethnography from 1967 to 1972 and taught at the Academy of Fine Arts in 1977.
During the period 1960-1980 she exhibited in nearly all the Haitian galleries and in Senegal, Caracas, Santo Domingo, the United States, Canada and Martinique. She has taken part in various exhibitions at the French Institute of Haiti. In 1974 she was awarded the Jacques Roumain first prize for her canvas *Délivrance*.

Danse des « Hounsi » autour du « Potomitan ».

"Hounsi" Dance around "Potomitan".

Bernard WAH

1939 - Né à Port-au-Prince, le 8 août.
1981 - Décédé.

Il commence à dessiner à l'âge de dix ans et étudie la céramique ainsi que la sculpture au Centre de céramique. Il y enseigne la décoration et le modelage dès l'âge de dix-sept ans. À cette époque il commence à s'intéresser à la musique, à la peinture et compose des chansons. Il est également un jeune poète.

En 1961, peintre déjà très coté, il est chargé par le gouvernement de la restauration des œuvres d'art ornant les jardins publics ainsi que des centres culturels. Il participe aux fresques de l'aéroport de la capitale. Il fonde l'École des arts plastiques, reconnue d'utilité publique.

En 1963, il crée le centre d'art Calfou qui groupe poètes, musiciens, peintres et auteurs dramatiques. Il bénéficie en 1965 d'une bourse d'études de l'Institut français et part pour la France où il expose à deux reprises.

Il s'établit ensuite à New York en 1966, pour poursuivre ses études.

De 1967 à 1978, il expose aux États-Unis et au Canada entre autres.

1939 - Born August 8 in Port-au-Prince.
1981 - Died.

Wah began to draw at ten years of age and studied ceramics and sculpture at the Ceramics Center. By seventeen, he was teaching decoration and sculpture there. Around this time, he became interested in painting and music and composed songs as well as writing poetry.

In 1961 Wah was already a highly regarded painter, and the government gave him the task of restoring the art works in public gardens and cultural centers. He contributed to the murals at the capital's airport and founded the state-approved School of Plastic Arts.

In 1963, he created the Calfou Art Center, which included poets, musicians, painters, and playwrights. As recipient of a scholarship from the French Institute, Wah left for France in 1965 and exhibited his work there on two occasions. He settled in New York in 1966 in order to pursue his studies. From 1967 to 1978 he exhibited in several countries, including the United States and Canada.

Mauvais augures.

Bad Signs.

Hallucinations, huile sur toile.

Hallucinations, oil on canvas.

Angel BOTELLO-BARROS

1913 - Né à Lanzas de Morrazo, en Galice (Espagne).

Il étudie les Beaux-Arts à Bordeaux et à Madrid. Après la guerre civile, il quitte son pays pour s'établir en république Dominicaine à Saint-Domingue en 1939. Cinq ans plus tard, il s'installe en Haïti et y fonde une famille. En 1955, dix ans après sa première exposition à Port-au-Prince, il ouvre à San Juan (Porto Rico) avec sa femme, haïtienne, deux galeries où sont exposées ses toiles. Sa vie familiale sereine et heureuse crée autour de lui un climat fertile à son art.

Ses premières créations sont des natures mortes composées de fleurs tropicales, de paysages haïtiens et de femmes haïtiennes à la manière de Gauguin (têtes triangulaires, inspirées par les Indiens d'Haïti, très typiques de son art et de cette époque). Quand son style évolue vers le cubisme, ses femmes et ses enfants deviennent à peu près ce qu'ils sont aujourd'hui : visages ronds et têtes plates (en demi-lune).

Ses enfants ont été et demeurent sa meilleure source d'inspiration. Pour ses sculptures, qu'ils ont également inspirées, il emploie le ciment, le bronze, l'argent et l'acier inoxydable avec autant de bonheur.

Ses œuvres se trouvent dans différents musées et collections privées de nombreux pays du monde.

1913 - Born in Lanzas de Morazzo, Galicia, Spain.

Botello-Barros studied fine arts in Bordeaux and Madrid. After the Civil War he left Spain and moved to Santo Domingo, Dominican Republic in 1939. Five years later he moved to Haiti and started a family. In 1955, ten years after his first exhibition in Port-au-Prince, the artist moved to San Juan, Puerto Rico, and with his Haitian wife opened two galleries where he exhibited his work. His serene and happy home life created an atmosphere fertile to his art.

Botello-Barros' first works are still life subjects composed of tropical flowers, Haitian landscapes and Haitian women in the style of Gauguin (triangular head shapes, inspired by the Haitian Indians, very typical of his work and of that era). As his style evolved toward cubism, his women and children became more or less as they look today: round faces and flat (half-moon shaped) heads.

His children have always been and remain his best source of inspiration for painting, as well as sculpture, in which he makes use of cement, bronze, silver and stainless steel with equally felicitous results. His works are found in various museums and private collections in many countries throughout the world.

Jeune fille. Bronze.

Young Woman. Bronze.

La coiffure.

The Hairdo.

130

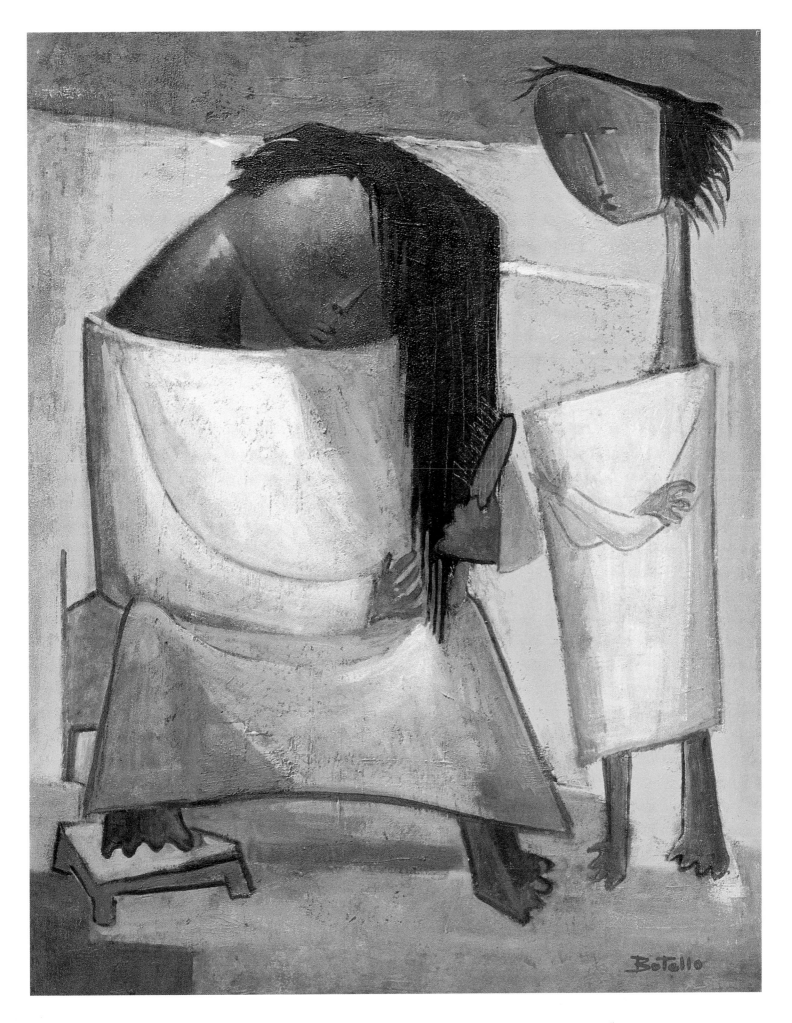

L'ÉCOLE DE PORT-AU-PRINCE
THE SCHOOL OF PORT-AU-PRINCE

Bernard SÉJOURNÉ

Femmes.

Women.

1947 - Né à Port-au-Prince, le 20 novembre.

Il fait ses études artistiques à l'Académie des beaux-arts de Port-au-Prince, à la Jamaica School of Arts and Crafts de Kingston, et, à New York, à l'Art Student's League ainsi qu'à l'American Art School.
En 1965, il participe au Salon Esso à Port-au-Prince et à Calfou, en 1966 au Festival des arts nègres tenu à Dakar et à la grande Exposition de Montréal en 1967.
Il expose à l'Institut français d'Haïti, à Port-au-Prince, en 1970. En 1971-1972, plusieurs musées américains tel le Brooklyn Museum présentent ses réalisations.
On se souviendra en Haïti de ses importants « one-man show » à la galerie des Beaux-Arts en 1973 et au musée du collège Saint-Pierre en 1975 et 1985.
Peintre et sculpteur, Bernard Séjourné est l'un des plus connus de cette « École de la beauté » qui rend hommage à la femme.

1947 - Born November 20 in Port-au-Prince.

Séjourné studied at the Academy of Fine Arts in Port-au-Prince, the Jamaica School of Arts and Crafts in Kingston, at the Art Students' League and American Art School in New York. In 1965 he exhibited at the Esso Salon in Port-au-Prince and at Calfou.
He participated in the Festival of Black Art held in Dakar in 1966, and in the Montreal Expo of 1967.
In 1972 he exhibited at the French Institute of Haiti in Port-au-Prince. Several American museums, including the Brooklyn Museum, exhibited his works in 1971 and 1972.
Séjourné's solo exhibits at the Beaux-Arts Gallery and the museum at St. Pierre's College in 1975 and 1985 were memorable events in Haiti.
Painter and sculptor, Séjourné is among the best known artists of the *School of Beauty,* which honors woman.

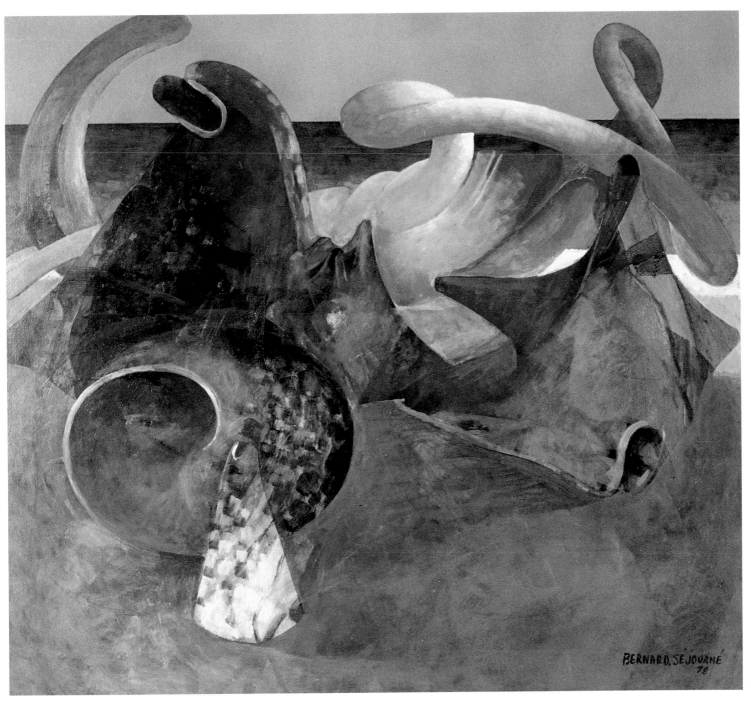

133

Émilcar SIMIL

1944 - Né à Saint-Marc, Haïti, le 28 août.

En 1965, il entre à l'Académie des beaux-arts de Port-au-Prince. Il étudie la sculpture, la fonderie, la peinture. Il suit aussi des cours spéciaux d'histoire de l'art. C'est là que commence un long dialogue avec le professeur Montagutelli qui lui enseigne, outre un métier, une certaine attitude devant l'Art ; la constance dans l'effort et la recherche exigeante de la beauté. En 5ᵉ année à l'Académie, il devient assistant. D'assistant il va devenir professeur ; d'abord au collège d'arts et métiers Juan-Vasquez, puis, chargé des cours d'histoire de l'art et d'esthétique à l'Académie des beaux-arts de Port-au-Prince. Il travaille pendant un certain temps avec Georges Hector à Coumbite 67. Il réalise, à l'Académie, une sculpture en marbre haute de 1,90 m *le Christ de Saut-d'Eau*.
Parallèlement, il s'intéresse à la musique, il joue du violon et du trombone à coulisse. Simil a une curiosité que l'on pourrait qualifier d'encyclopédique. Le cinéma, la littérature, les langues étrangères et la philosophie le passionnent. Il se documente régulièrement sur tout ce qui se fait ou se crée dans le domaine artistique, en Haïti et à l'étranger. Simil se classe en Haïti parmi les peintres d'avant-garde, il est un des membres fondateurs et actifs de l'ANAH (Association nationale des artistes haïtiens), créée en 1977.

1944 - Born August 28 in Saint-Marc.

In 1965, Simil entered the Academy of Fine Arts in Port-au-Prince and studied sculpture, casting, and painting, as well as the history of art. Thus began a long dialogue with Professor Montagutelli, who taught him both a craft and a certain attitude toward art: the need for sustained effort and a painstaking search for beauty. He became an assistant during his fifth year at the Academy and eventually a professor, first at the Juan Vasquez College of Applied Arts, then at the Academy of Fine Arts in Port-au-Prince, where he taught the history of art and aesthetics. He worked for a period with Georges Hector at Coumbite 67. At the Academy he completed a marble sculpture over six feet tall, *The Christ of Saut-d'Eau.*
Simil is also interested in music and plays the violin and slide trombone. His encyclopedic curiosity has led him to develop himself in all fields. Film, literature, foreign languages and philosophy all fascinate him. He regularly gathers material about everything happening on both the foreign and Haitian artistic scenes.
Simil belongs to the avant-garde painters of Haiti. He is a founding member and active participant in the ANAH, (National Associaiton of haitian Artists), created in 1977.

Confidences.

Confidences.

Simil se cache derrière les silhouettes de ses femmes mystérieuses. Pourtant chacune d'elles est la photographie de son moi intime.

Simil hides behind the figures of his mysterious women. Each one is the image of his innermost self.

Jean-René JÉRÔME

1942 - Né à Petit-Goâve, le 15 mars.

Après des études artistiques (dessin, peinture, danse, théâtre et chant), Jérôme décide de se consacrer exclusivement à la peinture. Cet ancien élève de l'École des beaux-arts participe alors au concours du Salon Esso.
En 1970, Jérôme expose en Haïti et obtient une bourse d'études du gouvernement américain.
De 1973 à 1975, il est nommé professeur à l'École des beaux-arts de Port-au-Prince.
Il participe à plusieurs expositions à travers le monde (Saint-Domingue, Amérique latine dont le Brésil, Canada, Sénégal, Martinique). En Haïti, ses tableaux sont présentés en permanence au musée d'Art haïtien du collège Saint-Pierre et à la galerie Marassa.
Jean-René Jérôme fait partie de l' « École de la beauté ». Il s'intéresse depuis peu à la sculpture et à la céramique.

1942 - Born March 15 in Petit-Goâve.

After various artistic studies (drawing, painting, dance, theater, and voice), Jérôme decided to devote himself exclusively to painting. This former student at the School of Fine Arts then participated in the Esso Salon competition. In 1970, he exhibited in Haiti and received a scholarship from the American government. Between 1973 and 1975 he was professor at the School of Fine Arts in Port-au-Prince.
Jérôme has participated in a number of foreign exhibitions (Santo Domingo, Latin America, Brazil, Canada, Senegal, Martinique). In Haiti, his paintings are permanently exhibited at the St. Pierre's College Museum of Haitian Art and at the Marassa Gallery.
Jérôme belongs to the *School of Beauty*. He has recently begun to explore the fields of sculpture and ceramics.

L'annonce faite à Marie.

Annunciation.

Ci-contre : Espoir.

Opposite, Hope.

Philippe DODARD

1954 - Né à Port-au-Prince, en Haïti.

Il reçoit le premier prix de dessin au petit séminaire du collège Saint-Martial en 1966. Il étudie à l'École d'art du Poto-Mitan, et entre à l'Académie des beaux-arts. En 1974, il travaille comme maquettiste dans une agence de publicité, puis il rencontre Frantz Ewald et crée un studio d'art graphique audiovisuel. Il gagne en 1975 un premier prix avec une affiche pour les handicapés, puis un autre premier prix avec son affiche pour le Festival d'Art haïtien.

Il travaille comme dessinateur publicitaire au journal haïtien *le Nouvelliste*. En 1978, il obtient une bourse pour l'École internationale de Bordeaux, afin de se spécialiser dans le dessin pédagogique.

En 1982, il dessine un vitrail pour l'église méthodiste du collège Bird. Deux ans plus tard, il reçoit une bourse de la Rotary International Foundation et part avec le Group Study Exchange d'Haïti faire une tournée de conférences sur la culture haïtienne.

Depuis 1971, il expose en Haïti, au Surinam (Diaspora III), au Brésil, en France et aux États-Unis.

1954 - Born in Port-au-Prince.

Dodard received the first prize in drawing at the Junior Seminary of St. Martial's College in 1966. He studied at the Poto-Mitan Art School and then entered the Academy of Fine Arts. In 1974, he worked as layout artist in an advertising agency, encountered Frantz Ewald, and founded a studio of audiovisual graphic art.

Dodard was awarded first prizes for a poster on the handicapped and a poster for the Haitian Art Festival, both in 1975. He worked as an advertising illustrator for the Haitian newspaper *Le Nouvelliste*. In 1978, he received a scholarship to the International School in Bordeaux, enabling him to specialize in pedagogic drawing.

In 1982, he designed a stained glass window for the Methodist church of Bird College. Two years later he received a scholarship from the Rotary International Foundation and left on tour with the Group Study Exchange of Haiti to give conferences on Haitian culture. Between 1971 and 1984 Dodard exhibited in Haiti, Surinam (Diaspora III), Brazil, France and the United States.

Femme oiseau.

Bird Woman.

La mer Morte.

The Dead Sea.

Ludovic BOOZ

1940 - Né à Aquin, le 16 juin.

Très jeune il prend l'habitude de dessiner avec différents matériaux : charbon, craie, crayon et plume.
En 1946, il s'établit à Port-au-Prince et étudie à partir de 1960 à l'Académie des beaux-arts. Il est peintre et sculpteur.
Sa carrière débute au Centre d'art où il rencontre Antonio Joseph.
Depuis lors, il prend plaisir à sculpter des cubes de bois d'où il tire des formes en spirales représentant des femmes et des maternités. Il est le premier sculpteur a utiliser la cire d'abeille pour traiter son bois. Il est très moderne dans ses conceptions. On a dit de lui qu'il « sculptait avec un pinceau ». Il a une maîtrise étonnante de la couleur.
Il réalise notamment les bustes en bronze, de François Duvalier, pour le Salon Esso ; du président Kennedy et du président Dumarsais Estimé.
Il fait partie des galeries Red Carpet, Petite Galerie, Marassa, Galerie Théard.
Il a participé à de nombreuses expositions à l'étranger notamment en Israël, au Surinam et en France.

1940 - Born June 16 in Aquin.

Booz started drawing very early with anything that came to hand: charcoal, chalk, pencil or pen.
He settled in Port-au-Prince in 1946 and began study at the Academy of Fine Arts in 1960. He is both painter and sculptor.
His career began at the Art Center, where he encountered Antonio Joseph. Since then, he has sculpted squares of wood from which he derives spiral forms representing women and motherhood. Booz was the first sculptor to use beeswax to treat wood. Very modern in his concepts, he is said to "sculpt with a brush", and has an astonishing command of color.
Among his distinctions are the following special commissions: bronze bust of François Duvalier for the Esso Salon; bronze bust of John F. Kennedy (Dallas); bust of President Dumarsais Estimé. He is associated with the Red Carpet, Petite, Marassa and Théart galleries.
He has taken part in numerous foreign exhibitions, notably in Israel, Surinam and France.

Buste d'Hector Hyppolite.

Bust of Hector Hyppolite.

Ci-contre : Symphonie astrale.

Opposite, Star Symphony.

Jean-Pierre THÉARD

1949 - Né à Aquin, le 4 mai.

De 1967 à 1969, il étudie l'architecture. Lors d'un voyage à Mexico, en 1969, il est très impressionné par les réalisations de Diego Riviera et par l'architecture mexicaine.
De retour en Haïti, il fréquente les peintres Pétion Savain, Villard Denis, Charles Obas et Bernard Wah, et développe alors un style mêlant le cubisme et l'impressionnisme. Il expose à New York et participe à plusieurs expositions en Haïti.
Il devient membre en 1973 d'un groupe de dix artistes. Il est particulièrement marqué par les réalisations de l'un d'eux, le Grec Achille A. Scordillis. Théard se tourne alors vers un style que l'on appelle « réaliste fantastique ».
De 1974 à 1981, il expose aux États-Unis, au Surinam (Diaspora III) et en France. En 1981, il ouvre sa propre galerie.

1949 - Born May 4 in Aquin.

From 1967 to 1969 Théard studied architecture. During a trip to Mexico in 1969, he was deeply impressed by the works of Diego Riviera and by Mexican architecture. Back in Haiti, he was associated with the painters Pétion Savain, Villard Denis, Charles Obas, Bernard Wah, and developed a style combining cubist and surrealist elements. He exhibited in New York and took part in several shows in Haiti.
In 1973, Théard joined a group of ten artists and was especially influenced by the work of one of them, the Greek artist Achille A. Scordillis. He then moved toward a style which might be called *fantastic realism*. From 1974 to 1981, he exhibited in the United States, Surinam (Diaspora III) and France. In 1981, he opened his own gallery.

Acrylique sur toile, 1985.

Acrylic on canvas, 1985.

142

Carol THÉARD

1946 - Né à Aquin, au mois d'octobre.

Il étudie la peinture avec Pétion Savain et participe en 1967 au concours du Salon Esso.
Il expose en 1969 au Québec, au Palais Montcalm.
Il entre à l'Académie des beaux-arts et étudie la technique du portrait avec Daniel Green à l'Art Students' League de New York en 1976.
Il expose en 1981 à Haïti, ayant beaucoup peint les paysages de son village natal.
Influencé par Modigliani, il s'est aujourd'hui spécialisé dans le portrait.

1946 - Born in October in Aquin.

Théard studied painting with Pétion Savain and in 1965 took part in the Esso Salon competition. In 1967, he exhibited in Quebec at the Montcalm palace. Théard entered the Academy of Fine Arts and studied portrait technique with Daniel Green at the Art Students' League in New York in 1976.
With numerous paintings of the countryside around his native village to his credit, he exhibited in Haiti in 1981. Today, influenced by Modigliani, he specializes in portraits.

Jean-Claude LEGAGNEUR

Né en **1947**

Artiste de vocation précoce, il voyage aux États-Unis et travaille avec des peintres haïtiens célèbres tels Bernard Wah, Raphaël Denis, Darvertige, Luckner Lazard.

En 1975, il s'installe en Haïti et fait partie avec Jean-René Jérôme et Bernard Séjourné de l' « École de la beauté ».

Sincérité, sensibilité, telles sont les qualités de ce peintre qui éprouve un besoin physiologique de peindre sans trêve.

De 1968 à 1985, il expose en Haïti, aux États-Unis, au Canada, à Saint-Domingue et en France.

1947 - Born.

An artist with an early calling, Legagneur travelled to the United States and worked with renowned Haitian painters such as Bernard Wah, Raphaël Denis, Darvertige, and Luckner Lazard. In 1975 he settled in Haiti and took part in the *School of Beauty* along with Jean-René Jérôme and Bernard Séjourné. Sincerity and sensitivity are the prominent features of Jean-Claude Legagneur, who feels the need to paint relentlessly. From 1968 to 1985 he exhibited in Haiti, the United States, Canada, France, Surinam and the West Indies.

« Marchand toile. »

''Canvas Seller.''

Secrets désirs.

Secret Desires.

144

Jean-Claude CASTERA

1939 - Né à Pétionville, en Haïti.

Il suit l'enseignement d'Angel Botello-Barros à San Juan de Porto Rico de 1957 à 1962.
De 1963 à 1971, il expose à de nombreuses reprises à Porto Rico, notamment à l'exposition permanente de la galerie San Juan, avec Angel Botello-Barros, Wilfredo Lam, Siquieros, Coronel, Diego Riviera, Matta, Rodon, Marin, Moya, Goya.
De 1975 à 1978, il expose ses œuvres à Rome et en Haïti dans les galeries Nader, Blanche et Marassa. Il présente également ses toiles au « showroom » de Max Ewald.
On retrouve dans ses toiles tout le rythme de la musique afro-haïtienne. Il peint des affranchis, des danseuses dans la quintessence de leur beauté.

1939 - Born August 26 in Pétionville.

From 1957 to 1962, Castera studied under Angel Botello Barros in San Juan, Puerto Rico. During the period 1963-1971 his work was exhibited frequently in Puerto Rico, notably in a permanent exhibit at the Antillas Gallery in San Juan with Angel Botello Barros, Wilfredo Lam, Siquieros, Coronel, Diego Riviera, Matta, Rodon, Marin, Moya, Goya. From 1975 to 1978 Castera exhibited in Rome and at the Blanche, Nader and Marassa galleries in Haiti. His work is also exhibited at Max Ewald's "showroom." Castera's canvases express the rhythm of Afro-Haitian music; he paints libertines, dancers in the quintessence of their beauty.

Marchande.
Belles et fières, les femmes
vues par Jean-Claude
Castera.

Market Woman. Beautiful
and proud,
these are women as seen
by Jean-Claude Castera.

LES INDÉPENDANTS/THE INDEPENDANTS

Ronald MEVS

1945 - Né à Port-au-Prince, le 29 septembre.

« C'est un peu l'enfant terrible de la peinture haïtienne actuelle », comme l'écrit *le Nouvelliste*. C'est aussi un excellent sculpteur. Il a exposé de 1974 à 1980 aux États-Unis, en Guadeloupe, en Martinique, en république Dominicaine, en France, au Surinam et dans plusieurs galeries d'Haïti.

1945 - Born September 29 in Port-au-Prince.

"Ronald Mevs is somewhat the 'enfant terrible' of current Haitian painting" (Le Nouvelliste). He is an excellent sculptor. From 1974 to 1980 he exhibited in the United States, Guadeloupe, the Dominican Republic, France, Surinam and numerous places in Haiti.

Quels sont ces êtres emprisonnés surgis de son inconscient ? Ronald Mevs est l'un des peintres haïtiens qui rappelle le plus Wilfredo Lam.

What are these imprisoned beings that emerge from his unconscious ? Ronald Mevs is one of the Haitian painters who brings to mind Wilfredo Lam.

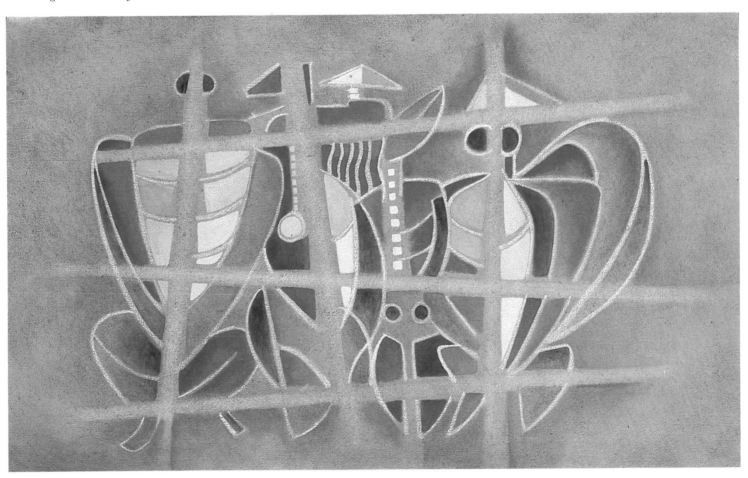

Sacha THÉBAUD, dit TÉBO

1934 - Né en Haïti.

De 1954 à 1958 il fait des études d'architecture, de génie et d'urbanisme qui le conduisent aux États-Unis, en France et au Brésil.

En 1958, il commence une carrière d'architecte et présente sa première exposition de peinture. De nombreuses suivront à Miami, Rio de Janeiro, Saint-Thomas, Madrid, Barcelone, Cali, San Juan de Porto Rico, Montréal, New York, Sainte-Croix, et en Haïti à la Petite-galerie puis à la Galerie Marassa.

Il est le premier à utiliser, en Haïti, la peinture à la cire d'abeille.

« En 1936, j'avais déjà deux ans et vivais chez ma grand-mère entre les plantes du patio, la musique classique, les fourmis et les lézards du jardin. Les fins de semaine se terminaient joyeuses par la visite d'un vieil oncle qui rapportait de la campagne des plantes aromatiques et qui m'apportait des crayons de toutes les couleurs. Il me portait sur les épaules et me montrait " Madame la Lune " au moment où elle surgissait de derrière un nuage. Il avait découvert en moi un talent naissant en dessin et mon amour de la nature... Les jours passaient entre les crayons de couleur et les maisons modelées dans l'argile du patio. Ainsi commença une carrière d'architecte et de peintre. Ceci se passait sur une colline de Port-au-Prince. J'étais toujours seul, non pas isolé du monde, mais plutôt seul, sans l'influence des autres, sans interférence, en contact direct avec les choses elles-mêmes.

L'ennui n'existait pas. Il y avait toujours des choses nouvelles à découvrir. »

1934 - Born in Haiti.

From 1954 to 1958 Thébaud's schooling in architecture, engineering and urban studies took him to the United States, France and Brazil. He began an architectural career in 1958 and had his first painting exhibit the same year. Many others followed, in Miami, Rio de Janeiro, St. Thomas, Madrid, Barcelona, Cali, San Juan (Puerto Rico), Montreal, New York, Sainte-Croix, and at the Petite and Marassa galleries in Haiti. He is the first Haitian artist to paint in beeswax.

"In 1936 I was two years old, living with my grandmother amid yard plants, classical music, garden lizards and ants. Weekends were joyous occasions when we received visits from an old uncle who would bring in aromatic plants from the countryside, and always brought some crayons for me. He would lift me onto his shoulders to greet 'Madame La Lune' as she came out from behind a cloud. He had discovered my budding talent for drawing and love of nature... I passed the days drawing with crayons and fashioning houses from the clay in the yard. Thus began an architectural and painting career. It was on a hill in Port-au-Prince. I was always alone, not shut off from the world but alone, without the influence of others, without interference, in direct contact with things themselves. Boredom didn't exist. There were always new things to discover."

Barques au soleil. | *Boats in the Sun.*

Cuivre découpé.

Cut Copper.

148

Villard DENIS dit DARVERTIGE

1940 - Né à Port-au-Prince.

Il commence à peindre à l'âge de quatorze ans. Dès 1960, il est connu comme poète et peintre. Ses premiers écrits paraissent dans un recueil qu'il baptise *Idem*.
Il a été très influencé en 1956 par le peintre Max Pinchinat.
Il a exposé au Mexique, en Espagne, en France et au Canada.
Il vit actuellement à Paris.

1940 - Born in Port-au-Prince.

Denis began to paint at the age of fourteen. By 1960, he had become well known as a poet and painter. His first writings appeared in a collection entitled *Idem*.
His work was strongly influenced by the painter Max Pinchinat in 1956.
Denis has exhibited in Mexico, Spain, France and Canada, and currently lives in Paris.

« *Jeux d'enfants* », *huile sur toile.*

"Child's Play", oil on canvas.

150

Ralph ALLEN

1952 - Né à Port-au-Prince.

Il obtient en 1971 une bourse pour la National Academy School of Fine Arts de New York, jusqu'en 1975.
Il expose en 1972 et 1975 aux États-Unis à la New York University Loeb Center, à la National Academy of Design, à l'Audubon Society, à la Pioneer Gallery, Cooperstown, New York. De 1978 à 1980, ses toiles sont présentées en Haïti, à Fort-de-France, à la Martinique, à Sermac et à la galerie Soleyo, en Guadeloupe à l'hôtel PLM.
En 1982, il expose au musée d'Art haïtien et en 1985 il y tient un « one man show » et participe également à une exposition internationale à Cayenne.

1952 - Born in Port-au-Prince.

Allen won a scholarship to the National Academy School of Fine Arts, New York, and studied there from 1971 to 1975. His work was exhibited in the United States in 1972 and 1975, at New York University's Loeb Center, the National Academy of Design, the Audubon Society and the Pioneer Gallery, Cooperstown, New York.
From 1978 to 1980 Allen exhibited in Haiti, at Fort-de-France in Martinique, at Sermac and the Soleyo Gallery in Guadeloupe and at the PLM Hotel.

« Derive », acrylique sur toile. | *''A drift'', acrylic on canvas.*

Harry JACQUES, dit ARIJAC

1937 - Né aux Gonaïves, en Haïti, le 11 août.

Après ses études secondaires, il étudie l'architecture à l'International Correspondance School. Il travaille de 1962 à 1963 comme dessinateur au bureau d'études de l'architecte Sacha Thébaud, puis de 1962 à 1975 à la section de construction scolaire au département de l'Agriculture. En 1965, il expose ses premières œuvres à l'Institut américain, puis à l'Institut français et à la biennale de São Paolo en 1967. Il participe en 1975 à plusieurs expositions à New York. Sa peinture est présentée en permanence à la ruelle Nazon à Port-au-Prince. Il peint à l'encaustique, c'est-à-dire avec un mélange de cire d'abeille, de térébenthine et de pigments, technique très répandue dès l'époque d'Alexandre le Grand jusqu'au VIIᵉ siècle et que lui enseigna Sacha Thébaud.

1937 - Born August 11 in Gonaïves.

After completing his secondary studies, Arijac studied architecture with the International Correspondence School. From 1962 to 1963 he was a draftsman with the research department of architect Sacha Thébaud, and was employed by the Agriculture Department's school construction division from 1962 to 1975. In 1965 he exhibited his first works at the American Institute, then in 1967 at the French Institute and the São Paulo biennial. In 1975 he participated in several exhibitions in New York. Arijac's work is on permanent exhibit at the ruelle Nazon in Port-au-Prince. Sacha Thébaud taught Arijac to paint with the encaustic method, using a mixture of beeswax, turpentine and pigment, a technique that was in wide use from the time of Alexander the Great to the seventh century A.D.

« Ti'fi », le crabe l'a mordue (chanson populaire).

''Ti-fi'', the crab bit her (folk song).

Raymond OLIVIER

1943 - Né en Haïti.

En 1958, il reçoit un premier prix pour sa toile intitulée *Soin d'une mère pour son enfant.* L'année suivante, il participe à l'exposition internationale organisée par l'Unesco et y remporte le premier prix.
Sa première exposition individuelle se tient en 1965 dans les locaux de l'Association des chauffeurs-guides à Port-au-Prince.
Il expose ensuite à Montréal, en Espagne, en Suisse, à Tahiti, à Miami, à Paris et à San Francisco.
Vonick Mangonès l'initie à l'art des grands maîtres de la Renaissance, il profite ensuite des conseils de Géo Remponeau, mais rapidement développe son style personnel et au début des années 70, il évolue vers une esthétique moderne. Ses maisons « gingerbread » ont fait sa renommée. Il utilise des tons très dilués comme pour l'aquarelle.

1943 - Born in Haiti.

Olivier received a first prize for his painting entitled *A Mother's Care for Her Child* in 1958. The following year he participated in an international exhibit organized by UNESCO and garnered another first prize. In 1965, he had his first solo exhibition at the Tour Guides Association in Port-au-Prince. He later exhibited in Montreal, Spain, Switzerland, Tahiti, Miami, Paris and San Francisco.
Vonick Mangonès initiated Olivier to the great masters of the Renaissance. He benefited from the counseling of Géo Remponeau but quickly developed his own style, and by the early nineteen-seventies had become oriented toward a modern aesthetic. His ''gingerbread'' houses have made his reputation. He uses extremely diluted tones like those characteristic of watercolor.

Maison « Gingerbread », huile sur toile.

Gingerbread House, oil on canvas.

Lyonel LAURENCEAU

« *La jeune fille au coq* », huile sur toile.

''*Young Woman with Cock*'', oil on canvas.

1942 - Né le 10 janvier.

Né de parents haïtien et français, il s'adonne, dès son tout jeune âge, à la peinture et poursuit ses études à l'École des beaux-arts, au Foyer des arts plastiques, au Palais des beaux-arts d'Haïti et suit enfin les cours de l'école ABC de Paris.

En 1966, il remporte le premier prix à la New York World's Fair, puis il installe son atelier au Canada, à Montréal.

De 1963 à 1977, il expose en Haïti à la galerie Nader, aux États-Unis, au Canada, en république Dominicaine et en Colombie.

Soucieux de vérité et de beauté, il poursuit inlassablement ses recherches sur les différents types humains haïtiens, y puisant toute son inspiration.

1942 - Born January 10.

Of French and Haitian parentage, Laurenceau took up painting very early. He studied at the School of Fine Arts, the Hall of Plastic Arts, the Palace of Fine Arts of Haiti, and later at the ABC School in Paris.

In 1966, he won first prize at the New York World's Fair, then set up a studio for himself in Montreal. From 1963 to 1977 he exhibited in Haiti, the United States, Canada, the Dominican Republic and Colombia.

Always concerned with truth and beauty in his work, Laurenceau has tirelessly pursued his investigations of the human character, source of all his inspiration.

Michèle MANUEL

1935 - Née à Port-au-Prince.

Elle commence à dessiner en Haïti, puis se rend à San Juan de Porto Rico en 1953 pour y suivre les cours de l'Academia de Dibujo y Pintura. L'année suivante, elle suit les cours de l'université de Rochester. De 1970 à 1978, elle expose en Haïti, aux États-Unis et en république Dominicaine.
Un jury composé de personnalités du monde artistique haïtien choisit l'un de ses tableaux *le Marché* pour être reproduit en timbre-poste en 1981.
Michèle Manuel est à l'origine de la restauration de la plus typique des maisons « gingerbread » de Port-au-Prince, devenue musée, « la Maison Defly », au bénéfice de l'Association haïtienne pour l'enfance handicapée. Elle fait partie du groupe des Femmes peintres.

1935 - Born in Port-au-Prince.

Manuel began drawing in Haiti, then went to San Juan, Puerto Rico, for courses at the Academy of Drawing and Painting in 1953. The following year she studied at the University of Rochester. From 1970 to 1978, she exhibited in Haiti, the United States and the Dominican Republic. A jury of eminent figures in Haitian art chose one of her paintings, *The Market,* to be reproduced as a postage stamp in 1981.
Manuel was the prime mover behind the restoration of the most typical ''gingerbread'' house in Port-au-Prince, now the Defly Museum. Its profits go to the Haitian Association for Handicapped Children. She is a member of the group *Women Painters.*

« *Vue de Jacmel* », *peinture au couteau.*

''*View of Jacmel*'', *knife painting.*

Gisou LAMOTHE

1935 - Née à Port-au-Prince.

Elle débute avec Pierre Paillière et Luce Turnier. En 1959, elle obtient une bourse des « Bellas Artes » pour Madrid où elle se fait remarquer pour la qualité de ses œuvres.
En 1961, elle revient en Haïti, puis elle expose successivement au Brésil, en Espagne, au Venezuela et aux États-Unis. Elle participe à toutes les expositions des Femmes peintres.
Elle travaille beaucoup au couteau.
Depuis quelques années elle a abandonné la peinture pour se consacrer à la sculpture en terre cuite. Elle réalise des poteries inspirées des Précolombiens.

1935 - Born in Port-au-Prince.

Lamothe got her start with Pierre Paillière and Luce Turnier, and in 1959 received a Bellas Artes scholarship to Madrid, where she distinguished herself for the quality of her work. She returned to Haiti in 1961, and has since had exhibits in Brazil, Venezuela, Spain and the United States.
She has taken part in every exhibition of women painters. Her technique involves extensive work with a knife. Some years ago she stopped painting to take up clay sculpture and produces pottery inspired by pre-Columbian art.

Terre cuite, inspiration pré-colombienne. | *Terracotta, of pre-Columbian inspiration.*

1939 - Née à Port-au-Prince, en novembre.

Très tôt elle s'initie à la photographie avec son père passionné de photo-montage. Elle aborde la peinture dans l'atelier de Luce Turnier et Dieudonné Cédor. Elle travaille également avec Roland Dorcely.
Grande voyageuse, elle a été particulièrement influencée par l'Asie.
Ses premières toiles sont présentées en 1955 au Centre d'art. En 1963, elle participe à l'exposition « Onze femmes peintres » et en 1974 elle expose à New York.

1939 - Born in November in Port-au-Prince.

Hollant was initiated in photography early in life by her father, an enthusiast of photo-montage. She began painting in the studio of Luce Turnier and Dieudonné Cédor, and also worked with Roland Dorcely. A great traveler, she was especially influenced by her exposure to Asia. Her first canvases were shown at the Art Center in 1955. In 1963, she participated in the exhibition *Eleven Woman Painters* and in 1974, her work was displayed in New York.

« Marchand' chapo ».

"Chapo Seller".

Édith HOLLANT

Ralph CHAPOTEAU

1954 - Né aux Gonaïves, en Haïti.

Il entre à l'Académie des beaux-arts en 1974 et quatre ans plus tard fait ses premières expositions.
Dans les années 80, associé à d'autres peintres il expose en Haïti, en Guadeloupe et à Saint-Domingue et depuis lors devient l'un des artistes dont la galerie Marassa présente les œuvres en permanence.

1954 - Born in Gonaïves.

Chapoteau entered the Fine Arts Academy in 1974 and had his first exhibition in 1978. In the 1980s he and other artists participated in several shows in Haiti, Guadeloupe and Santo Domingo, and he became one of the artists whose work is permanently displayed at the Marassa Gallery.

« Fleur bleue »,
acrylique.

''Blue Flower'',
acrylic.

Franck LOUISSAINT

1949 - Né à Aquin.

Il fait une partie de ses études à Port-au-Prince et commence à peindre seul. En 1969, il rejoint le Centre d'art et développe un art hyperréaliste qu'il enseigne au centre.
Il est connu pour ses scènes de rues et ses toiles sur la paysannerie.
On peut le qualifier de « peintre-charnière » ayant évolué entre le genre dit naïf et la peinture dite moderne.

1949 - Born in Aquin.

Louissaint completed part of his studies in Port-au-Prince and began to paint on his own. In 1969, he joined the Art Center and developed a hyper-realist art which he then went on to teach at the center. He is known for his street scenes and paintings of rural life. Louissaint may be categorized as a *pivot* painter, having made the transition from the style of painting termed naïve to the more stripped-down painting termed modern.

« Marchand'charbon », acrylique sur contreplaqué.

''Coal Seller'', acrylic on plywood.

Franck ÉTIENNE

1936 - Né à Port-au-Prince.

Écrivain et poète, homme de théâtre, il est connu dès 1964 pour son style humoristique et parfois satirique sur les mœurs haïtiennes. L'un de ses livres, *Ultravocal,* publié en 1972, révèle déjà le peintre, tant il décrit avec précision et couleurs, les paysages et les hommes qui l'entourent. Sa première exposition, présentée dans la salle Dante-Allighieri, à l'ambassade d'Italie, montre de manière éclatante à travers tout ce qu'il crée, que la même fougue anime l'écrivain et le peintre. Ses toiles colorées et vibrantes où dominent le rouge et le bleu dégagent une force gestuelle étonnante. C'est un peintre abstrait qui choisit délibérément de s'inspirer de l' « Action Painting » à la Jackson Pollock, laissant sur ses toiles d'éblouissantes traînées qui traduisent son tourment intérieur. Depuis 1982, il expose à l'Institut français où figure depuis 1985 son gigantesque triptyque.

1936 - Born in Port-au-Prince.

Writer, poet, playwright, he has been well-known since 1964 for his humourous and sometimes satirical comment on Haitian ways. One of his books, *Ultravocal,* published in 1972, already hinted at the painter-to-be in his precise and colorful description of the country and men around him. His first exhibit in the Dante Allighieri Hall at the Italian Embassy clearly showed that the same spark fired the painter as the writer throughout his work. His vibrant, colorful canvases, in which red and blue dominate, reveal a strength of gesture remarkable for a beginner. He is an abstract painter who deliberately chooses to take his inspiration from the Jackson Pollock style of ''action painting'', leaving shining trails of paint on his canvas that convey his inner torment. Since 1982, he has exhibited regularly at the French Institute, which has had his gigantic triptych since 1985.

Huile sur toile.

Oil on canvas.

Alix ROY

1930 - Né à Port-au-Prince.

Il fait ses études à Saint-Louis-de-Gonzague et à l'Institut Louis Hall.
Il s'initie à l'art avec Luce Turnier, Maurice Borno et Lucien Price, puis travaille à l'UNICEF en Haïti comme dessinateur. Il part en 1956 à New York pour s'y perfectionner en peinture.
Il a aussi vécu en république Dominicaine et à Porto Rico. Il revient en Haïti en 1978 et s'installe à Petit-Goâve.
Il a exposé ses œuvres aux États-Unis, à Porto Rico et en Haïti, à la galerie Issa.

1930 - Born in Port-au-Prince.

Roy studied at St. Louis de Gonzague and the Louis Hall Institute. He was initiated into art by Luce Turnier, Maurice Borno and Lucien Price, and later worked as a draftsman for UNICEF in Haiti. In 1956 he travelled to New York to work on perfecting his painting technique, and at other times lived in the Dominican Republic and Puerto Rico. He returned to Haiti in 1978 to settle in Petit-Goave.
Roy has exhibited abroad in the United States and Puerto Rico and in Haiti at the Issa Gallery.

Bamboche paysanne, huile sur toile.

Country shindig, oil on canvas.

Favrange Valcin, dit VALCIN II

Le cyclone « Flora » ravagea l'île en 1963.

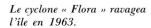

The cyclone ''Flora'' devasted the island in 1963.

1947 - Né à Jérémie.

« À un an mes parents vinrent définitivement s'établir dans la Capitale. Après quelques années passées ensemble ils se séparèrent. J'ai alors vécu seul avec mon père dans sa garçonnière. Celui-ci qui habitait tout près de mon oncle, le grand artiste Gérard Valcin, n'a pas voulu, au début de ma carrière, que je sois un peintre. Tout mon matériel de travail était jeté au dehors en prétextant que j'allais salir les meubles. J'ai pleuré en constatant, impuissant, les dégâts et, par réaction, mon ambition de peintre a augmenté de jour en jour. Même mon oncle Gérard montrait, au commencement, quelques réticences à mon égard, mais quand il a vu mes progrès en très peu de temps, lui-même m'a, en 1964, conduit au Centre d'art... Vint le concours Esso en 1965 où je rencontrais Dewitt Peters qui me dit en me voyant : '' Êtes-vous artiste ? '' J'ai répondu : '' Oui, bien sûr '' en lui montrant mon tableau intitulé Sublime vision de John Fitzgerald Kennedy. En le voyant, Peters prononça cette phrase qui m'a beaucoup marqué : '' *Tu seras un grand artiste, mais très engagé* ''... »

Connu sous le nom de Valcin II, il impressionne fortement la critique et les amateurs d'art dès le début de sa carrière.

Martin Guiton Doriman dit de lui : « L'œuvre de Valcin II est une dénonciation, un cri de douleur contre la misère, contre tout. Le personnage de Valcin II cherche un autre homme par ses gestes, ses regards et vous accuse. S'il n'y a pas un sourire dans 50 pièces exposées, c'est parce que l'homme aux prises avec les revers de la vie n'a pas le temps de sourire. »

1947 - Born in Jérémie.

''My parents came to live in the capital when I was one year old. After several years of living together, they separated. I then lived alone with my father in his bachelor flat. He lived near my uncle, the great artist Gérard Valcin, and when my career was just getting started didn't want me to be a painter. He threw out all my art materials on the pretext that I was going to get the furniture dirty. When I saw the damage, I cried, and in reaction my ambition to become a painter grew stronger by the day. Even my uncle Gérard was somewhat dubious about me at first, but when he saw the progress I had made in a very brief time, he took me to the Art Center himself in 1964. At the Esso competition I met Dewitt Peters, who inquired on first sight, 'Are you an artist?' I replied, 'Of course,' and showed him my painting Sublime Vision of John F. Kennedy. When he saw it, Peters made this remark, which had a great effect on me: 'You will be a great artist, but highly partisan'.''

Known by the name of Valcin II, Favrange Valcin made a strong impression on critics and art lovers from the outset of his career.

Martin Guiton Doriman says of him, ''Valcin II's work is a denunciation, a howl of pain raised against misery, against everything. In his paintings, the subject is seeking a different man with his actions, his looks, and he accuses you.

If there is not a single smile in the 50 works on exhibit, it is because a man grappling with life's reverses doesn't have time to smile.''

Marie-Thérèse de VENDEGIES

1929 - Née le 10 novembre.

Elle est fortement encouragée et initiée à la peinture par Raoul Viard et Paulette Frisch. Elle travaille également avec Rose-Marie Desruisseau.
Abandonnant ensuite la peinture, elle part à Porto Rico pour y apprendre la céramique. Depuis, elle s'adonne à cet art et crée des « poupées-sculptures » très prisées des collectionneurs. Elle fabrique aussi des assiettes décoratives et révèle dans ce secteur son esprit inventif et extrêmement créateur.

1929 - Born November 10.

Raoul Viard and Paulette Frisch introduced Vendegies to painting and strongly encouraged her. She also worked with Rose-Marie Desruisseau.
She abandoned painting and went to Puerto Rico to learn ceramics. From them on, she has devoted herself to that art and creates "sculpture dolls" which are highly prized by collectors. She also produces decorative plates which manifest her highly creative, inventive mind.

Poupées, céramique.

Dolls, ceramic.

Terre cuite et verre fondu.

Terracotta and melted glass.

Serge GAY

1953 - Né à Port-au-Prince, le 28 août.

De 1969 à 1973, il étudie la céramique, puis est boursier à Mexico de 1976 à 1978. Il revient à Port-au-Prince où il apprend le dessin technique et l'architecture. En 1982, il se rend à Panama, où il étudie la « ceramologia » ou restauration de la céramique. De 1983 à 1984, il se consacre à l'étude de la restauration de la peinture. Il expose de 1974 à 1984 en Haïti, aux États-Unis, et obtient un réel succès à la galerie Touche d'art, consécration de ses recherches. Il y présente des objets décoratifs en céramique ou terre cuite. Dans ses œuvres il mélange du verre chauffé, fondu et façonné. Ses sculptures et ses masques sont d'authentiques chefs-d'œuvre qui reflètent sa forte personnalité digne de celle de son père, céramiste lui aussi très réputé. Son art évoque celui de Tiga et de Patrick Vilaire qui semblent lui avoir communiqué leurs conceptions dans ce difficile domaine de la céramique.

1953 - Born August 28, in Port-au-Prince.

He studied ceramics from 1969 to 1973, then went to Mexico on a scholarship from 1976 to 1978. After coming back to Port-au-Prince, he worked on drawing technique and architecture, then went to Panama in 1982 to study ceramics restoration. He did the same for painting restoration from 1983 to 1984. From 1974 to 1984, he exhibited in Haiti and the United States and had a striking success at the Touche d'Art Gallery, a fitting recognition of his work. He makes decorative objects of ceramic or terra cotta, in which he mixes heated, melted and modeled glass. His sculptures and masks are authentic masterpieces that reflect his strong personality, worthy of that of his father, himself a well-known ceramic artist. His art reminds the viewer of Tiga and Patrick Vilaire, who seem to have conveyed their way of thinking to him in this difficult realm of ceramic art.

Freddy WIENER

Autoportrait, huile.

Self-portrait, oil.

1943 - Né à Port-au-Prince, le 16 juin.
1979 - Disparu en mer.

Dès son enfance il s'intéresse à l'art. À dix ans il suit des cours de céramique et peint des scènes locales. Il poursuit ses études à Paris à l'académie Julian de 1966 à 1969 avec le professeur Guansé, puis il rentre en Haïti et devient un habitué de l'Atelier Néhemy Jean où il étudie le nu.
Il est également un membre actif de l'atelier À la Tête de l'Eau où il côtoie de nombreux peintres.
Le 22 octobre 1973, alors qu'il était en bateau avec des amis, il a un accident qui le laisse en état de choc émotionnel.
Pendant les années qui suivent ce sont les fonds marins aperçus lors de sa noyade qu'il peindra, ainsi que les montagnes des environs de Trou-Baguette. En 1979, il disparaît en mer. Son corps n'a jamais été retrouvé.

1943 - Born June 16 in Port-au-Prince.
1979 - Lost at sea.

Weiner took an interest in art as a child, and at ten he was taking ceramic courses and painting neighborhood scenes. He studied in Paris at the Julian Academy under Guansé from 1966 until 1969, when he returned to Haiti. He was a regular at the Néhemy Jean's studio where he studied the nude with live models. He was also an active member of the Tête de l'Eau Studio where he came in contact with many painters. On October 22, 1973, while boating with friends, Weiner was in an accident which left him in a state of emotional shock. For several years, he was haunted by the impression of the sea bottom perceived at the time of his near-drowning incident, and recreated it in his paintings, along with the mountains behind Trou-Baguette, the smal seaside village where he spent his weekends. In January 1975, he disappeared at sea, never to be found.

Acrylique sur toile.

Acrylic on canvas.

162

Emmanuel PIERRE-CHARLES

1945 - Né à Port-au-Prince, le 18 février.

Très jeune, il dessine des cartes de vœux, durant ses études, pour se procurer un peu d'argent. C'est en 1970, qu'il s'affirme comme peintre, participant à des expositions collectives ou présentant lui-même ses œuvres. Il dirige le Studio Athénée et milite pour l'ANAH (Association nationale des artistes haïtiens). En 1977 il enseigne dessin et peinture à Timoun Art et à Toukouleur.
Après plusieurs voyages à l'étranger il participe au DRIPP (Développement régional intégré de Petit-Goâve/Petit-Trou-de-Nippes) en tant que graphiste. Il collabore au CAF (Centre d'appui aux formations) comme responsable de l'atelier de restauration à l'École nationale des arts. Il est également le promoteur du mouvement Peintographie.

1945 - Born February 18 in Port-au-Prince.

Quite young, Pierre-Charles made drawings for greeting cards while still in school to earn money. In 1970, he came into his own as a painter, participating in group exhibits or presenting his works himself. He headed the Athénée Studio and worked for ANAH (National Association of Haitian Artists). In 1977, he taught drawing and painting at Timoun Art and Toukouleur.
After several trips abroad, Pierre-Charles settled in Petit-Goâve to work in graphic arts for DRIPP (Regional Integrated Development of Petit-Goâve/Petit-Trou-de-Nippes). He also took part in the CAF (Center for Training Aid), heading a restoration workshop at the National School for the Arts. He promoted the movement *paintography*.

Édouard DUVAL-CARRIE

Le paysan.

The farmer.

1954 - Né à Port-au-Prince.

Il étudie à l'université de Montréal (Canada) pendant deux ans, de 1971 à 1972. L'année suivante, il entre à l'université McGill au Québec, puis il reçoit en 1974 le diplôme de Bachelor of Arts de l'université Loyola de Montréal.
Depuis il expose en Haïti et aux États-Unis. Deux de ses toiles ont été acquises par des musées américains, l'une par le musée de Detroit et l'autre par le musée de Davenport. Il est l'un des jeunes peintres du Centre d'art.

1954 - Born in Port-au-Prince.

In 1971 and 1972 Duval-Carrié studied at the University of Montreal. The following year he went to McGill University in Quebec. In 1974, he received a Bachelor of Arts degree from Loyola University in Montreal. He exhibited in the United States and Haiti. Two of his paintings have been purchased by American museums, the Detroit Museum and the Museum of Davenport (Iowa). He is among the younger painters at the Art Center.

Georges LARATTE

Fillette accroupie, sculpture sur pierre.

Squatting Girl, stone sculpture.

1933 - Né au Cap-Haïtien, le 23 avril.

Il apprend très jeune la poterie et la céramique. En 1960, le marché devenant trop précaire, il se tourne vers la sculpture sur bois où il affirme son style.

Après quelques essais dans le domaine de la peinture, il décide de se consacrer exclusivement à la sculpture en 1965. En 1971, la galerie Monnin l'expose régulièrement. Il est présenté en 1972 à la galerie Susuki et au Metropolitain Museum de New York, ainsi qu'à Santo Domingo. Dès 1973, il est le premier artiste haïtien à sculpter des visages sur des pierres noires : marbre, quartz, pierre-galet.

Ses deux fils, Hernot Versaint et Frantz Laratte deviendront à sa suite des sculpteurs au talent reconnu. De 1976 à 1978, il expose en Guadeloupe, aux États-Unis, en Martinique et au Venezuela.

1933 - Born April 23 in Cap-Haïtien.

Laratte learned pottery and ceramics at an early age. In 1960 as the market became too precarious, he turned to wood sculpture and consolidated his style. After trying his hand at painting, he decided in 1965 to devote himself exclusively to sculpture. He exhibited regularly at the Monnin Gallery in 1971, and the following year had exhibitions at the Susuki Gallery and Metropolitan Museum in New York, as well as in Santo Domingo. Beginning in 1973, Laratte became the first Haitian artist to sculpt faces in black stone: marble, quartz, shellstone. Between 1976 and 1978, he exhibited in Guadeloupe, the United States, Martinique, and Venezuela.

His two sons Hernot Versain and Frantz Laratte also became well-known artists.

Gérard FOMBRUN

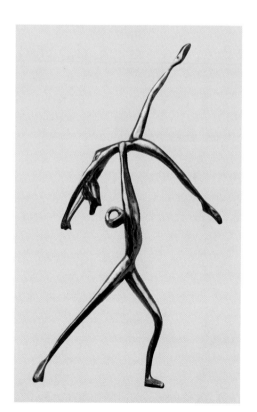

Les danseurs, bronze. | *The Dancers, bronze.*

1931 - Né à Port-au-Prince, en Haïti.

Il étudie l'architecture à l'École polytechnique d'Haïti, puis à Paris et à Porto Rico. Parallèlement à sa carrière d'architecte, il s'oriente vers la sculpture sur bronze. Il expose avec succès à Porto Rico dans les galeries Antillos et Botello, au Caribe Hôtel et au musée de Ponce.

En 1960, une de ses réalisations, *Sylphide,* fait la une du magazine *Art in America.*

De retour à Port-au-Prince, il se consacre presque exclusivement à la création architecturale et à la restauration du patrimoine de son pays.

Il considère sa participation à la sauvegarde du site de Moulin-sur-Mer comme le couronnement de sa carrière.

Ses sculptures sont exposées en permanence à San Juan de Porto Rico dans les galeries Santiago, Francesa et Botello.

1931 - Born in Port-au-Prince.

Fombrun studied architecture at the Polytechnic School of Haiti, then in Paris and Puerto Rico. In tandem with his architectural career he took up sculpture in bronze. His exhibits in Puerto Rico at the Antillos and Botello Galleries, the Caribe Hotel and the Ponce museum met with great success. In 1960, one of his works, *Sylphide,* was featured on the cover of the magazine *Art in America.*

Back in Port-au-Prince, Fombrun devoted himself almost exclusively to architectural creation and the restoration of his country's heritage. He considers his participation in the action to preserve the *Moulin sur Mer* site as the crowning point of his career. His sculptures are permanently exhibited in the Santiago, Francesca and Botello galleries in San Juan, Puerto Rico.

Descollines MANÈS

1936 - Né à Petit-Trou-de-Nippes, en Haïti.
1985 - Se suicide le 27 juillet.

Il apprend à lire avec son père dont il garde le souvenir d'un être coléreux le battant souvent.

Autodidacte, il travaille pendant cinq ans à la distillerie de rhum Barbancourt. À dix-sept ans il devient apprenti maçon et sert de modèle à un peintre dominicain, Jaimé Colson, directeur de la Société d'art dramatique d'Haïti, et commence à peindre lui-même, sous la direction de Gérard Résil et Dieudonné Cédor, et en 1961 avec Luckner Lazard.

Dès 1962, il mène de front son activité professionnelle et celle d'artiste, faisant de la céramique avec Tiga et Emmanuel Joachim.

Il a exposé en Haïti et à l'étranger, et ses scènes de vie haïtienne font la joie des collectionneurs. Nombre de ses œuvres montrent des enfants jouant dans les rues.

À partir de 1975, la pratique de son art devient une cruelle souffrance, car il est allergique à toute peinture. Ses toiles reflètent ce cauchemar.

Angoissé, solitaire, lunatique, après plusieurs tentatives, il se donne la mort en 1985.

1936 - Born in Petit-Trou-de-Nippes.
1985 - Committed suicide.

Manès was taught to read by his father, whom he remembered as an angry man who often beat him. Self-taught as an artist, he worked for five years at the Barbancourt rum distillery. At seventeen he became an apprentice in the building trade and posed as a model for a painter from the Dominican Republic, Jaimé Colson, who was also the director of the Dramatic Art Society of Haiti. Descollines began to paint himself under Gérard Résil and Dieudonné Cédor, then under Luckner Lazard in 1961. In 1962, he carried on his professional and artistic activities simultaneously, and took up ceramics under Tiga and Emmanuel Joachim.

He exhibited in Haiti and abroad. His scenes of Haitian life are highly prized by collectors. Many of his works depict children playing in the streets. In 1975, Descollines discovered he was acutely allergic to all forms of paint, a tragedy for him as an artist. Anguished, lonely, mad, he made several unsuccessful attempts to kill himself. In 1985, he committed suicide.

Au combat de coqs.

Cock Fight.

Nicolas DREUX

1956 - Né à Port-au-Prince, le 10 mars.

Il se met à la peinture en 1973 sous la direction de Calixte Henri qui lui enseigne une manière particulière de peindre au couteau en utilisant une lame de rasoir. Son travail est fait d'une touche délicate, où bleus et roses se fondent merveilleusement. Ses sujets favoris sont les marines et les paysages.
Il a exposé en 1979 en Martinique, en 1980 en Guadeloupe et en novembre 1981 à Santo Domingo et expose de façon permanente en Haïti.

1956 - Born March 10 in Port-au-Prince.

Dreux began to paint in 1973 under the direction of Calixte Henri, who taught him a special method of knife painting utilizing a razor blade. His work is done with a delicate touch, in which blues and pinks blend marvellously. His favorite subjects are land and seascapes. His work was exhibited in Martinique in 1979, Guadeloupe in 1980, and Santo Domingo in November, 1981. His paintings are on permanent exhibit in Haiti.

Calixte HENRI

Paysage aux trois marchandes.

Landscape with Three Market Women.

1933 - Né à Port-au-Prince, le 3 janvier.

Il commence à peindre en 1955 au Centre d'art. En 1959, il quitte le Centre et poursuit seul ses recherches. Il entre à la galerie Monnin, s'intéresse à l'impressionnisme, au cubisme. Il abandonne ses pinceaux pour utiliser des lames de rasoir qui donnent à sa peinture plus de finesse et de transparence. Plus tard, il peint au couteau.
Dans ses œuvres, Calixte Henri élimine tous les détails inutiles pour obtenir un tracé d'une sobriété très épurée. C'est par le contraste des tons qu'il obtient le volume. Le dessin rudimentaire est compensé par une harmonie de couleurs dont les oppositions sont toute sa personnalité. Il tire du vert et du bleu une infinité de vibrations. Récemment, il s'est mis à travailler des couleurs plus pastel, aux tonalités moins contrastées.

1933 - Born January 3 in Port-au-Prince.

Henri began to paint at the Art Center in 1955. He left it in 1959 to pursue his development alone. He joined the Monnin Gallery and took an interest in impressionism and cubism. He abandoned his brushes in favor of razor blades, which lent heightened finesse and transparency to his paintings, and later painted with a knife.
In his paintings Calixte Henri eliminates all extraneous details to produce a highly refined soberness of line. He obtains volume through the contrast of tones. The rudimentary drawing is compensated by a harmony of colors whose contrasts make up its personality. Henri coaxes an infinite spectrum of vibrations from green and blue. Recently he has begun to work with more pastel colors and less contrasting tones.

166

Carlo JEAN-JACQUES

1943 - Né à Port-au-Prince, le 1er mai.

Très jeune, attiré par le dessin, il suit les cours de l'école ABC de Paris et en 1963 entre à l'atelier d'art de Joseph Jacob.

Il rompt en 1966 avec cet atelier et durant les trois années suivantes mène une vie de bohème misérable. En 1969, il se présente à la galerie Monnin avec une toile représentant une ruelle de La Saline qui est acceptée. Dès lors, il revient petit à petit à la vie, grâce aussi à l'aide de Calixte Henri qui a son atelier dans la même galerie.

Son dessin très pur, ses longues lignes accusent les attitudes fières et la raideur de l'homme de la campagne qui compose la foule des bas-fonds de la capitale.

Ému et touché par la grande misère des bas-quartiers, il nous la livre sur ses toiles, avec une grande émotion et une volonté d'accuser et de dénoncer l'injustice sociale.

1943 - Born May 1st in Port-au-Prince.

Attracted to drawing at an early age, Jean-Jacques studied at the ABC School in Paris then joined Joseph Jacob's art studio in 1963. He left the Jacob studio in 1966 and spent three years leading the life of an impoverished bohemian. In 1969, he came to the Monnin Gallery with a painting depicting a side street in La Saline. It was accepted. From that time on, he gradually came back to life, thanks in part to the aid of Calixte Henri, who had a studio in the same gallery.

His drawing, with its great purity and long lines, highlights the proud postures and steeliness of the country people who inhabit the capital city's slum quarters. Touched and disturbed by the great misery of the slums, Jean-Jacques renders it in his paintings with strong emotion, intent on revealing and denouncing social injustice.

Endimanchés, les enfants font la fierté de leurs parents.

Dressed up for Sunday, children are the pride of their parents.

167

Jean-Claude RIGAUD

1945 - Né en Haïti.

Il expose en 1964 ses premières sculptures à la faculté des sciences d'Haïti, puis, de 1964 à 1968, il fait ses études à l'université nationale autonome de Mexico. En 1967, il reçoit le premier prix à un concours de l'université et une mention pour sa participation au concours Nouvelles Valeurs organisé par l'Institut national des beaux-arts de Mexico.
Il réalise sa première exposition à Mexico en 1968, puis s'installe à New York où il travaille dans un cabinet d'architecte jusqu'en 1972.
Il suit parallèlement les cours du Teachers College de New York, où il expose également.
Il organise sa seconde exposition à la galerie Ziegfeld de New York en 1976.
L'année suivante, il s'installe à Miami, présente ses sculptures à l'Institut français de Port-au-Prince et à Washington.

1945 - Born in Haiti.

Rigaud's first sculptures were exhibited at the Haitian Faculty of Arts and Sciences in 1964. Between 1965 and 1968, he studied at the National Autonomous University of Mexico. In 1967, he won first prize in a University competition plus a distinction for his participation in the *New Values* competition organized by the National Institute of Fine Arts in Mexico. After his first exhibition in 1968 in Mexico, Rigaud moved to New York and worked in an architect's office until 1972. He studied at the New York Teachers' College until 1976, exhibiting there as well. In 1976 he had his second exhibit at the Ziegfeld Gallery in New York. The following year he settled in Miami and exhibited at the French Institute in Port-au-Prince and in Washington.

Sculpture monumentale en tôle découpée.

Monumental sculpture in metal.

L'ÉCOLE DE JACMEL
THE SCHOOL OF JACMEL

Murat SAINT-VIL

1955 - Né à Port-au-Prince.

Il dessine et peint très jeune. En 1972 son père le présente à son ami Préfète Duffaut. Le prix Suisse de la peinture naïve lui est décerné en 1983. Au 12ᵉ concours international de la galerie Pro Arte Kasper Morges, il obtient le *Lansquenet de bronze*.
Il expose de 1975 à 1985 en Martinique, en Guadeloupe, aux États-Unis, au Danemark, à Curaçao, en Belgique, en Italie, en Suisse, en France et en Angleterre.

1955 - Born in Port-au-Prince.

Saint-Vil began to draw and paint at an early age. His father introduced him to Préfète Duffaut in 1972. In 1983, he was awarded the Prix Suisse for naïve painting. At the 12th International Competition of the Kasper Morges Pro Arte Gallery, he won the Bronze Lansquenet. From 1975 to 1985 Saint-Vil exhibited in Martinique, Guadeloupe, the United States, Denmark, Curaçao, Belgium, Italy, Switzerland, France and England.

Jardinier inspiré, il réorganise le monde, dans une Haïti de rêve.

An inspired gardener, here he reorganizes the world in a dream Haiti.

Jean-Louis SÉNATUS

1949 - Né à Léogane, en Haïti, le 16 août.

Il commence à dessiner et à peindre en 1967, puis en 1969 il suit des cours à l'Institut Lope de Vega, puis au Foyer des arts plastiques de Port-au-Prince.
Il rencontre en Haïti, Scordillis, peintre grec, avec lequel il travaille pendant un an. Il reçoit le deuxième prix au concours d'affiches organisé par Air France à Port-au-Prince en 1968. De 1975 à 1983 il expose en Martinique, en Guadeloupe, au Danemark, en France, en Suisse, à Curaçao, aux États-Unis, en Italie et en Angleterre. La transparence de ses couleurs finement nuancées permet au peintre de transposer sa vision vers les lointaines contrées de l'imaginaire. Chaque œuvre est un camaïeu d'une ou deux couleurs qu'il semble pulvériser sur la toile comme par magie.

1949 - Born August 16 in Léogane.

Sénatus started to draw and paint in 1967, then in 1969 he took courses at the Lope de Vega Institute, and the Hall of Plastic Arts in Port-au-Prince. In Haiti, he met the Greek painter Scordillis, with whom he worked for a year. In 1968, he received second prize in a poster competition sponsored by Air France in Port-au-Prince.
From 1975 to 1983, he exhibited in Martinique, Guadeloupe, Denmark, France, Switzerland, Curaçao, the United States, Italy and England.
Via the transparency of his finely nuanced colors, Sénatus shifts his vision toward the distant climes of the imagination. Each painting is a cameo of one or two colors which he seems to spray onto the canvas as if by magic.

Haïti, île-oiseau planant sur la Caraïbe.

Haiti, bird-isle floating on the Caribbean.

Roosevelt SANON

1952 - Né à Jacmel, le 11 novembre.

Encouragé par son ami, le peintre Raphaël Surin, il consacre ses vacances scolaires à étudier la peinture.
En 1971, il expose ses premières œuvres. De 1979 à 1985, il présente ses œuvres en France, en Suisse, en Angleterre et également en Haïti.

1952 - Born in Jacmel.

Encouraged by his friend, the painter Raphaël Surin, Sanon spent his school vacations studying painting and exhibited his first paintings in 1971. From 1979 to 1985, Sanon exhibited in France, Switzerland and England, as well as in Haiti.

Le « manger-loas », offrande aux dieux.

The manger-Loas, food, offering to the gods.

Jeannet SANON

1962 - Né à Jacmel, le 27 février.

Il commence à peindre en 1973 avec son frère Roosevelt, notamment des paysages aux tons bleus et verts.
À partir de 1983, il devient rapidement un des nouveaux peintres « sophistiqués » d'Haïti.
Entre 1981 et 1985, il expose en république Dominicaine, aux États-Unis et en France.

1962 - Born February 27 in Jacmel.

In 1973 Jeannet began to paint with his brother, Roosevelt Sanon. He paints landscapes in blue and green tones. Since 1983 he has become one of Haiti's new ''sophisticated'' painters. From 1981 to 1985 he exhibited in the Dominican Republic, the United States and France.

Noce à la grotte.

Cave Wedding.

Éric JEAN-LOUIS

1957 - Né à Jérémie.

De 1977 à 1984 il expose aux États-Unis, en Guadeloupe, au Danemark, à Curaçao, en Suisse et en France. Il a obtenu le deuxième prix ex-æquo au concours d'affiches organisé par Air France à Port-au-Prince. Il est de ceux qui laissent vagabonder leur imagination au cœur des végétations tropicales pour transcrire leur vision onirique. Les champs de canne à sucre qui couvrent une grande partie du paysage haïtien donnent l'illusion d'un univers où la nuit et le jour se marient pour nourrir l'inspiration des artistes.

1957 - Born in Jérémie.

From 1977 to 1984 Jean-Louis exhibited in the United States, Guadeloupe, Denmark, Curaçao, Switzerland and France. In 1983 he won a joint second prize in a poster competition organized by Air France in Port-au-Prince.
He allows the imagination to wander deep into the heart of tropical foliage to transmit a dream-like vision of it. The sugar cane fields that cover a large portion of the Haitian countryside give the illusion of a universe where night and day merge to nourish the inspiration of the artist.

Murmures de la forêt. | *Forest Murmuring.*

Fritz SAINT-JEAN

1954 - Né à Port-au-Prince.

Ses premières œuvres datent de 1972 et il obtient le premier prix du concours d'affiches organisé par Air France à Port-au-Prince en 1983. Dès lors, il traite essentiellement tout un bestiaire fantastique auquel il donne les couleurs de la fiction.
De 1982 à 1985, il expose en Haïti, en Italie, en Suisse, en France, en Angleterre et aux États-Unis.

1954 - Born in Port-au-Prince.

Saint-Jean began to paint in 1972 and won first prize in a poster contest sponsored by Air France in Port-au-Prince in 1983. From this time on, Saint-Jean essentially worked on a fantastic bestiary to which he lends the colors of fiction. From 1982 to 1985, he exhibited in Haiti, in Italy, Switzerland, France, England and the United States.

Paysage au paon.

Landscape with Peacock.

Henri JEAN-LOUIS

Le petit chemin. | *The Path.*

1955 - Né à Jérémie.

En 1975, il commence à peindre et acquiert une rapide renommée pour ses paysages où dominent le bleu, le vert et l'ocre. La même année, il expose pour la première fois à l'étranger, au musée de l'Homme, à Paris, où sont présentés de nombreux peintres haïtiens.
Atteint d'une longue et grave maladie il s'arrête de peindre en 1982. Ce n'est qu'en 1985 qu'il revient sur la scène nationale, participant également à différentes expositions à l'étranger.

1955 - Born in Jérémie.

In 1976, Jean-Louis began to paint and rapidly won renown for his landscapes where blue, green and ochre predominate. The same year he exhibited abroad for the first time at the Museum of Man in Paris, where numerous Haitian paintings were being shown. A serious and protracted illness forced him to stop painting in 1982. He returned to the national scene in 1985, also contributing to various exhibits abroad.

Abner DUBIC

1948 - Né à Léogane, en Haïti, le 1er novembre.

Il vient habiter à Port-au-Prince, dès son plus jeune âge.
Ses premières œuvres sont inspirées par l'artiste Gabriel Lévêque de la Croix-des-Bouquets. Par la suite, sa personnalité se dégage et s'affirme dans ses toiles représentant généralement des scènes de la campagne haïtienne. En 1975, sous l'égide d'André Malraux et de Jean-Marie Drot, une exposition de ses œuvres est organisée à Paris ainsi qu'à Auxerre. Ses toiles sont exposées dans de nombreuses galeries à New York, Chicago et Paris, et font partie de plusieurs importantes collections de peintures haïtiennes.

1948 - Born November 1 st in Léogane.

Dubic came to live in Port-au-Prince as a child.
His first works were inspired by the artist Gabriel Levêque of Croix-des-Bouquets. Later his personality asserted itself and he developed a personal style, painting scenes of the Haitian countryside. In 1975 an exhibition of his work sponsored by André Malraux and Jean-Marie Drot was shown in Paris and Auxerre. Dubic's paintings are sold in galleries in Chicago, New York and Paris, and are included in several important private collections of Haitian painting.

Au village, huile sur toile. | *In the Village, oil on canvas.*

Rémy PAILLAN

1955 - Né à Port-au-Prince, le 23 août.

Grâce à l'enseignement des Pères Salésiens, il peint ses premières œuvres en 1971. Voisin de Raphaël Surin, peintre déjà connu, il vend sa première œuvre grâce à ce dernier et six mois plus tard, livre une commande à la galerie Red Carpet.

1955 - Born August 23 in Port-au-Prince.

In 1971 Paillan began to paint thanks to the teaching Salesian Fathers. With the aid of his neighbor Raphaël Surin, an already established painter, he sold his first painting. Six months later, he delivered a commissioned work to the Red Carpet Gallery.

Région de Jacmel.

Around Jacmel.

Camille TORCHON

1953 - Né à Port-au-Prince, le 16 juillet.

Les paysages imaginaires de Murat Saint-Vil l'ont beaucoup inspiré, mais il a su trouver son propre style.
En 1973, ses tableaux sont présentés à Port-au-Prince et Pétionville.
On le considère comme appartenant à l' « école de Jacmel » ou « Paysagistes du rêve ».

1953 - Born July 16 in Port-au-Prince.

Murat Saint-Vil's imaginary landscapes have been a great inspiration to this artist, but Torchon developed his own style. His paintings were shown in Port-au-Prince and Pétionville in 1973. Torchon is considered a member of the Jacmel or Dream Landscape school.

Paysage utopique, huile sur toile. | *Utopic Landscape, oil on canvas.*

Jackson AMBROISE

1951 - Né à Milot, près du Cap-Haïtien, le 29 février.

En 1975, il commence à peindre à Port-au-Prince avec Saint-Louis Blaise. Il expose ses tableaux à la Petite galerie encouragé par Marie-José Nadal-Gardère.
Il peint d'abord des paysages pour devenir enfin un peintre onirique. Son œuvre est imprégnée d'humour, telle sa toile *Mariages de flamants roses,* exprimant une irrésistible jovialité.
De 1978 à 1983, il expose à la galerie Monnin, en France, au Surinam, en Amérique du Sud, ainsi qu'en Guadeloupe et en Martinique.

1951 - Born February 29 in Milot (near Cap-Haïtien).

In 1975 Ambroise began to paint in Port-au-Prince with Saint-Louis Blaise. Encouraged by Marie-José Nadal-Gardère, he exhibited his paintings at the Petite Gallery. After a debut as a landscape painter, Ambroise became a dream painter. His work is full of humor, as seen in the irresistible joviality of such paintings as his *Weddings of Pink Flamingos.*
From 1978 to 1983 his work was exhibited at the Monnin Gallery, Haiti, and in Venezuela, France, Surinam, South America, Guadeloupe and Martinique.

Mauvais présage. | *Bad omen.*

Henri-Robert BRÉSIL

1952 - Né aux Gonaïves, en Haïti, le 19 septembre.

Il vient s'établir à Port-au-Prince en 1973 et peint ses premières œuvres, commençant sa carrière d'artiste renommé.

Après un prix d'honneur au concours Ispan-Unesco au musée d'Art haïtien du collège Saint-Pierre en 1981, il expose à l'étranger à Porto Rico, aux États-Unis, en France, en Suisse et en Italie. En Haïti, ses toiles sont présentées aux galeries Issa, Nader et Marassa.

Loué par de grands quotidiens et de grands magazines tels le *New York Times,* le *Miami Herald* et *Hostess,* c'est un peintre paysagiste très apprécié des amateurs d'art.

1952 - Born September 19 in Gonaïves.

Brésil settled in Port-au-Prince in 1973 and painted his first works, starting his career as a renowned painter. After receiving the Ispan-Unesco prize of honor at the Museum of Haitian Art at St. Pierre's College in 1981, he exhibited in Haiti at the Issa, Nader and Marassa galleries, and abroad in the United States, Puerto Rico, France, Italy and Switzerland.

As a landscape painter, Brésil is much lauded by art lovers and has been praised in the *New York Times, Miami Herald* and *Hostess magazine,* among other publications.

Les lavandières.

The washerwomen.

Les flamants roses.

Pink Flamingoes.

178

André NAVAL

1949 - Né à Port-au-Prince, le 20 septembre.

Dès 1978, il se consacre exclusivement à la peinture.
De 1979 à 1985, il expose en France, en Martinique, en Guadeloupe, en république Dominicaine, en Suisse et aux États-Unis. La composition géométrique et l'harmonie des couleurs donnent à ses toiles un caractère éminemment décoratif.

1949 - Born September 20 in Port-au-Prince.

Naval devoted himself exclusively to painting from 1978 on.
From 1979 to 1985 he exhibited in France, Martinique, Guadeloupe, the Dominican Republic Switzerland and the United States. His geometric composition and harmony of color make his canvases eminently decorative.

Dans la forêt. | *In the Forest.*

Audes SAÜL

1949 - Né en mai, à Bombardopolis, petite ville proche du Cap-Haïtien.

Il travaille comme ouvrier charpentier, puis comme électricien. Encouragé par les missionnaires baptistes, son frère Charles commence à peindre avec succès, ce qui incite Audes à tenter la même expérience. Il vient s'installer à Port-au-Prince et travaille régulièrement pour la galerie Issa.
Plusieurs de ses toiles sont sélectionnées en 1975 par André Malraux et Jean-Marie Drot pour participer à des expositions en France, ces toiles sont d'ailleurs reproduites par le magazine *Vogue*.
Ses créations sont présentées dans d'autres pays étrangers, notamment en Italie et aux États-Unis où elles sont vendues aux enchères à la Parke Bennet Auction House de New York.

1949 - Born in May in Bombardopolis, a small village near Cap-Haïtien.

Saül worked as a laborer, carpenter, then electrician. His brother Charles, encouraged by Baptist missionaries, began to paint successfully, which prompted Audes to try his hand at it as well. He then settled in Port-au-Prince and worked regularly for the Issa Gallery.
In 1975 several of his paintings were chosen by André Malraux and Jean-Marie Drot for exhibition in France, and were reproduced in Vogue magazine. His works are shown in various foreign countries, notably Italy and the United States, where they are sold at the Parke Bennet Auction House in New York.

Saint-Pierre TOUSSAINT

1923 - Né à Kenscoff.
1985 - Décédé le 25 septembre.

Il commence à peindre en 1972 en regardant Michèle Manuel qui peint durant ses vacances dans la maison d'Albert Mangonès où il est jardinier.

Il est un représentant typique de la paysannerie haïtienne : calme, philosophe, il aime à rire autant que chanter et danser.

Il est marié à une « hounsi » vaudou.

Sa peinture est le reflet de sa vie paysanne : champs de légumes ou de fleurs, poules, oiseaux font partie de ses sujets de prédilection.

Parfois, il ajoute à ses toiles des « Vévés », le « cœur d'Erzulie », le « bateau d'Agoné » et les « drapeaux du Vaudou ».

Il utilise des aplats très colorés, les formes sont souvent soulignées par des traits noirs ou marron et son graphisme évoque quelquefois Matisse.

1923 - Born in Kenscoff.
1985 - Died September 25.

Toussaint began to paint in 1925 after observing Michèle Manuel, who painted during her vacations at the home of Albert Mangonès, where Toussaint was a gardener. His favorite subjects were fields of vegetables or flowers. He was representative of the Haitian rustic: calm, philosophical, loving to laugh, sing and dance. He was married to a Voodoo *hounsi*. His painting was a mirror of his life: flowers, vegetables, chickens, birds. He sometimes added to his canvases *Vévés, Erzulie's heart, Agone's boat,* or the *flags of Voodoo.* His shapes were often emphasized by black or brown outlining and his graphic style sometimes recalls that of Matisse.

Jacques GESLIN

1954 - Né à Jacmel, le 20 mars.

Il commence à peindre en 1969. Il entre à l'Académie des beaux-arts de Port-au-Prince où il travaille six ans. Il apprend aussi les techniques de la sculpture. Ses professeurs sont : Gaston Hermantin, Jean-René Jérôme, Émilcar Simil, Raoul Dupoux et le docteur Kersain.

Créant une forêt haïtienne issue de son imagination, il peint oiseaux et animaux domestiques tout en respectant la finesse de nos plantes qu'il traduit avec originalité.

Il expose principalement, de 1978 à 1985, aux États-Unis, en république Dominicaine, en Martinique, en Guadeloupe et en France.

1954 - Born March 20 in Jacmel.

He began to paint in 1969 and studied at the School of Fine Arts in Port-au-Prince for six years. He also learned sculpture technique. His professors were Jean-René Jérôme, Émilcar Simil, Raoul Dupoux, Dr. Kersain, and in sculpture, Gaston Hermantin. Geslin paints our birds and domestic animals, and takes care to respect the delicacy of our plants as he renders them with an originality surpassing that of nature. In short, he has created a Haitian forest drawn from his imagination. From 1978 to 1985, he exhibited chiefly in the United States, the Dominican Republic, Martinique, Guadeloupe and France.

Roland BLAIN

1934 - Né à Port-au-Prince, le 30 juin.

Dès l'enfance il aime dessiner ; il entre au Foyer des arts plastiques en 1959 et y reste un an où il étudie avec Joseph Jacob. Il se passionne pour la musique et joue de la trompette. Pendant huit ans il ne peint presque plus.
En 1969, il se remet à travailler et cherche son style.
Il représente des jungles peuplées d'animaux et d'oiseaux exotiques aux teintes étranges, dans des paysages immobiles et infinis, ou des sous-bois à la perspective naïve. Le mélange du rêve et de la précision réaliste, la qualité de la facture et la lumière très particulière font dire de lui qu'il est un très bon peintre naïf en même temps qu'un artiste de l'avant-garde haïtienne dont la peinture frôle souvent le fantastique.

1934 - Born June 30 in Port-au-Prince.

Blain was fond of drawing from childhood on. He joined the Hall of Plastic Arts in 1959, studying there for a year under Joseph Jacob. He developed a passion for music and played the trumpet. For an eight-year period he hardly painted at all, then in 1969 he began to paint again and to seek his own style.
Blain painted jungles teeming with animals and strangely-hued exotic birds in motionless, infinite landscapes or underbrush, all in a naïve perspective. With his mixture of dream and precise realism, his high technical quality and his singular light, he is both a gifted naïve painter and member of the Haitian avant-garde, a painter whose work verges on the fantastic.

Ci-dessus : L'aube de la création.
Couleurs sourdes, contours estompés,
les chevaux fantômes
traversent le torrent.

Above, Dawn of Creation.
In hazy colors, ghost horses cross a stream.

183

Jacques-Richard CHÉRY

1929 - Né au Cap-Haïtien.

D'abord barbier, il ouvre une station-service d'essence dans la vallée de l'Artibonite et expose ses toiles dans ses locaux de travail.

Philomé Obin reconnaît son talent et l'emmène au Centre d'art de Cap-Haïtien en 1951 où il reste un an. Dix ans plus tard, il entre au Centre d'art de Port-au-Prince.

Il participe à plusieurs expositions à l'étranger et en Haïti.

Les premières toiles de ce peintre sont très représentatives de l'école du Nord : il peint minutieusement des scènes historiques ou les événements de la vie quotidienne tels Noël ou le Carnaval. Puis il change et fait rapidement des dessins comiques de marchands portant des fruits géants sur la tête, ou de tap-taps (camions de transports en commun) prêts à tomber en morceaux, qu'il habille de couleurs vives.

La corbeille de fruits.

Fruit Basket.

1929 - Born in Cap-Haïtien.

After working as a barber, Chéry opened a gas station in the Artibonite Valley and exhibited his art at his work site.

In 1951 Philomé Obin, recognizing his talent, took him to the Cap-Haïtien Art Center, where he remained for a year. Ten years later, Chéry joined the Art Center in Port-au-Prince. He took part in several Haitian exhibitions overseas.

In the beginning, Chéry was quite representative of the Northern School, minutely rendering historical scenes or events from daily life such as Christmas or Carnaval. He then changed in favor of comic drawings of merchants carrying giant fruits on their heads or of *tap-taps* (public transport vans) on the verge of falling apart, painted in vibrant colors.

Françoise JEAN

1953 - Née aux Anglais, au sud d'Haïti, le 2 juin.

Elle s'établit à Port-au-Prince en 1967 et l'année suivante commence à peindre avec Pétion Savain. Elle dessine les enfants, refusant de peindre les adultes. En 1973, à la mort de Pétion Savain, elle commence à travailler avec Jean Richard Coachy, association qui dure aujourd'hui encore.
Lors d'un concours organisé en 1978 par le musée d'Art haïtien du collège Saint-Pierre sur le thème du développement rural, son tableau reçoit le prix spécial « Jeune peintre » et il est acheté pour représenter l'année de l'Enfance à la FAO en Allemagne.
De 1977 à 1982, elle expose en Haïti, en Martinique et à la Guadeloupe.
Toutes ses toiles sont consacrées aux enfants, sa source d'inspiration.

1953 - Born in Anglais, southern Haiti.

Jean moved to Port-au-Prince in 1967, then in 1968 began to paint with Pétion Savain, depicting only children, refusing to paint adults. Since the death of Pétion Savain in 1973 she has been working with the painter Jean Richard Coachy.
In 1978, one of Jean's paintings was awarded the Young Painters' Special Prize in a competition organized by the Museum of Haitian Art at St. Pierre's College on the theme of *rural development*. The painting was purchased to represent the Year of the Child at the FAO in Germany.
Jean's work has been exhibited in Haiti, Martinique and Guadeloupe (1977-1982). All her canvases depict children, her source of inspiration.

Ronde enfantine.

Child's Circle.

Ci-contre : Christ, aquarelle.

Opposite, Christ, watercolor.

Jean-Claude GAROUTE, dit TIGA

1935 - Né à Port-au-Prince, le 9 décembre.

Fondateur de Poto-Mitan, du musée de Céramique et de Saint-Soleil, Tiga est très apprécié de ses élèves. Avec Patrick Vilaire et Frido ils forment un trio inoubliable.
Sa peinture est abstraite et ses sculptures en terre cuite très stylisées.
Il est peintre, sculpteur-céramiste mais aussi musicien.
Il décore le pavillon d'Haïti au premier Festival mondial des Arts nègres de Dakar en 1966. Il expose un ensemble important de ses œuvres, utilisant simultanément différents moyens d'expression en 1971.
En 1975, il rencontre André Malraux qui se déplace spécialement pour connaître son « école » de Saint-Soleil à Soisson-la-Montagne.
En 1977, il participe avec la troupe Saint-Soleil au Festival du théâtre de Nancy, en France.

1935 - Born December 9 in Port-au-Prince.

Given name: Jean-Claude Garoute.
Tiga, among the founders of *Poto-Mitan,* the Museum of Ceramics and *Saint-Soleil,* is much appreciated by his students. He, Patrick Vilaire and Frido form an unforgettable trio. Tiga's painting is abstract, his sculpture highly stylized.
He is painter, sculptor, ceramist and also musician and poet.
In 1966 he designed the Haitian Pavilion at the First World Festival of Black Art in Dakar. He had a major exhibition of his work, which incorporated diverse means of expression in a single piece, in 1971. In 1975, he met André Malraux, who made a special trip to his *Saint-Soleil* school in Soisson-la-Montagne. Tiga participated in a theatre festival in Nancy, France, with the Saint-Soleil troupe in 1977.

L'œil du cacique, huile sur toile.

The Chief's Eye, oil on canvas.

Patrick VILAIRE

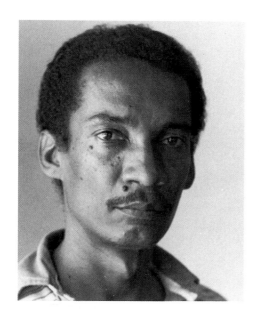

1941 - Né à Port-au-Prince, le 16 septembre.

En 1955, il commence à étudier le dessin, puis l'année suivante s'intéresse à la céramique, dont il devient vite un grand spécialiste.
Durant les années 60, il conseille les artisans potiers et travaille avec eux. Il aide à la construction des fours et au développement des techniques de céramique.
En 1964, il est membre de l'Académie internationale de la céramique et, quatre ans plus tard, l'un des membres fondateurs du centre artistique de Poto-Mitan.
Assistant technique à la section précolombienne du Bureau d'ethnologie d'Haïti de 1973 à 1979, il travaille également à l'atelier Gay-Poterie et, en 1978, devient directeur technique de Argile et Céramique d'Haïti. En 1980, il installe un atelier à Hinche et deux ans plus tard devient conseiller du Centre de céramique de Papaye.
C'est aussi un sculpteur, un graphiste et un poète.
Parallèlement à toutes ses activités, il expose régulièrement depuis 1959 en Guyane, au Sénégal, aux États-Unis et au Brésil.

1941 - Born September 16 in Port-au-Prince.

Vilaire learned drawing in 1955, taking up ceramics a year later and going on to specialize in that field. During the 1960s he advised and worked with artisan potters. He aided in the construction of ovens and the development of ceramic techniques. He became a member of the International Ceramics Academy in 1964 and four years later was a founding member of the Poto-Mitan Art Center. From 1973 to 1979 he served as a technical assistant in the pre-Columbian department of Haiti's Bureau of Ethnology. He also worked with the Gay Pottery Studio and became technical director for Clay and Ceramics of Haiti in 1978.
Vilaire established a studio in Hinche in 1980 and two years later became an adviser for the Papaye Ceramics Center. In addition to his other activities, from 1959 on, he exhibited regularly in Guyana, Senegal, the United States and Brazil. He also creates sculpture, graphics and poetry.

Thierry Martinot

Encre sur papier, on sent dans cette œuvre l'influence précolombienne.

Ink on paper, Pre-Columbian influence is rife in this work.

Papiers découpés. | *Paper Cut-outs.*

189

Wilfrid AUSTIN, dit FRIDO

1942 - Né à Port-au-Prince.
Artiste peintre, poète, céramiste et musicien, Frido se consacre entièrement à l'art, sous toutes ses formes, dès la fin de ses études classiques.
En 1968, il est avec Tiga et Patrick Vilaire l'un des fondateurs du Centre culturel de Poto-Mitan où il enseigne pendant plusieurs années la céramique, le dessin, la guitare et le chant.
Il aborde aussi le cinéma et, en 1974, tient le rôle de Manuel dans *Gouverneur de la Rosée*, film que Maurice Failevic tourna d'après le roman de Jacques Roumain.
Des trois fondateurs du Centre culturel, il est à présent le seul à diriger Poto-Mitan.

1942 - Born in Port-au-Prince.

A painter, poet, ceramic artist and musician, Frido devoted his life to art in all its forms as soon as he had ended his classical studies.
In 1968, he collaborated with Tiga and Patrick Vilaire to found the Cultural Center of Poto-Mitan, where he taught ceramics, drawing, guitar and singing for several years.
He was also interested in the cinema and, in 1974, played the role of Manuel in *Gouverneur de la Rosée,* a film by Maurice Failevic based on the novel by Jacques Roumain.
Of the three founders of the Cultural Center of Poto-Mitan, he is presently the director.

Aquarelle. | *Watercolor.*

Osange Silou

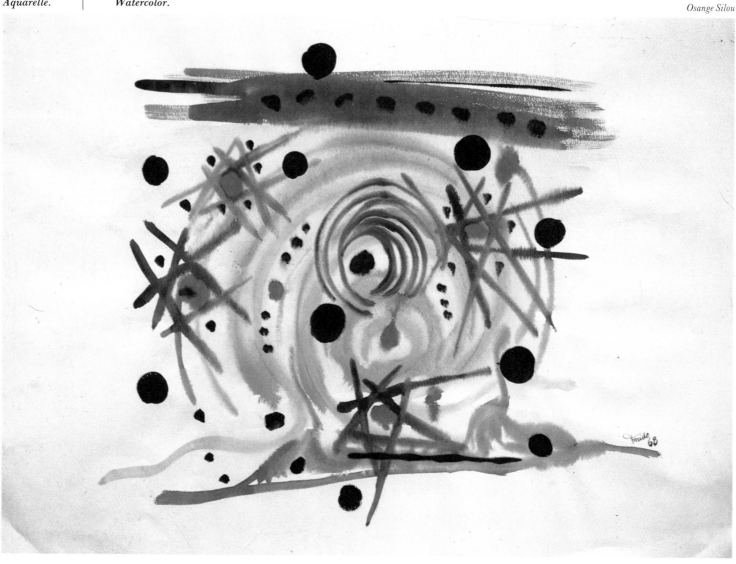

Levoy EXIL

Il est un des peintres les plus connus du groupe Saint-Soleil qui a donné aux paysans les moyens de s'exprimer en toute liberté par l'art et la poésie.

Levoy retourne constamment aux sources vaudou et découvre dans ses rêves ses vraies racines : il croit à des vies antérieures et est hanté par l'Atlantide. Il se sent davantage habité par la mémoire des Indiens Arrawak que par ses ancêtres africains.

Participant à toutes les expositions de Saint-Soleil, il prend part, avec Tiga et quelques autres artistes de son groupe, à un hommage posthume rendu à André Malraux.

À la suite d'une mésentente avec Tiga, il crée Fleur-Soleil. Il expose au Festival mondial du théâtre de Nancy en 1977, puis fait un voyage en Pologne qui révèle au monde entier l'existence des peintres-paysans.

Exil is one of the best-known of the Saint-Soleil group, who gave simple people the means to express themselves fully through art and poetry.

Levoy Exil constantly taps the sources of Voodoo and finds his true roots in his dreams. He believes in his former lives and is haunted by the story of Atlantis. The memory of the Arrawak Indians lives on more vividly in his feelings than that of his Africain ancestors.

He participated in all the Saint-Soleil exhibits and collaborated with Tiga and other artists in his group on a posthumous hommage to André Malraux.

After a misunderstanding with Tiga, he created *Fleur Soleil,* exhibited at the World Theater Festival in Nancy in 1977, then travelled to Poland, where these peasant painters came to the attention of the world.

Linda I. Gumbs

« *An moué* ».

Prosper PIERRE-LOUIS

1947 - Né à Jacmel, le 12 octobre.

Il commence à peindre en 1973 avec Tiga à Saint-Soleil.

Il participe à plusieurs expositions au musée d'Art haïtien du collège Saint-Pierre et à l'Institut français.

En 1974, il expose en Israël, en 1975 au Festival de Soisson-la-Montagne, en 1980 à la Cabane Choucoune « Saint-Soleil », en 1982 à la Petite Galerie et à l'Institut de France en Haïti.

1947 - Born October 12 in Jacmel.

Pierre-Louis began painting with Tiga at *Saint-Soleil*. He participated in several exhibitions at the Museum of Haitian Art at St. Pierre's College and at the French Institute. He exhibited in Israel (1974), the Soisson-la-Montagne Festival (1975), Saint-Soleil's Cabane Choucoune (1980), the Petite Gallery and the French Institute of Haiti (1982).

« *Loas* ».

Louisianne SAINT-FLEURANT

1922 - Née à Petit-Trou-de-Nippe, en Haïti.

Elle est la « marraine » de la nouvelle école des peintres de Saint-Soleil, créée sous la direction de Tiga Garoute et de Maude Robbart, promoteurs de ce mouvement à Soisson-la-Montagne (environ 50 km de Port-au-Prince). Depuis 1978, Louisianne Saint-Fleurant participe à des expositions à l'étranger et en Haïti.

C'est l'une des artistes les plus remarquables de cette nouvelle école dénuée de toute influence extérieure qui apporte à la peinture haïtienne une image nouvelle, dont on pourrait dire avec André Malraux « qu'on ne décèle ni d'où elle vient ni à qui elle parle ». Dans l'*Intemporel,* Malraux fait une remarquable analyse de cette nouvelle école de la peinture haïtienne, citant Louisianne Saint-Fleurant, il confirme cette étonnante particularité : « C'est par le Vaudou que nous approcherions le mieux du processus de création des peintres de Saint-Soleil. » À l'extrême, l'artiste peint parce qu'il est « chevauché » (possédé) et peint ce que veut le Loa (dieu vaudou).

1922 - Born in Petit-Trou-de-Nippe.

Saint-Fleurant is the ''godmother'' of the Saint-Soleil New School of Painters, created under the direction of Tiga Garoute and Maude Robbart, promoters of this movement in Soisson-la-Montagne (about fifty kilometers from Port-au-Prince). From 1978 on, she participated in several exhibitions in foreign countries and in Haiti.

She is one of the most remarkable artists in this new school which is devoid of all extraneous influence and has lent a new image to Haitian painting. As André Malraux remarked in regard to this school, ''it is impossible to determine where it came from or to whom it speaks.'' In *L'Intemporel* Malraux provides a noteworthy analysis of this new school, quoting Louisianne St.-Fleurant in confirmation of this astonishing feature: *''It is through Voodoo that we would best approach the creative process of the Saint-Soleil painters. In the final analysis, the painter paints because he or she is 'mounted' (possessed) and paints what the Loa (Voodoo god) wants.''*

Terre cuite peinte à l'acrylique.

Terracotta painted with acrylic.

Huile sur toile.

Oil on canvas.

Hervé TÉLÉMAQUE

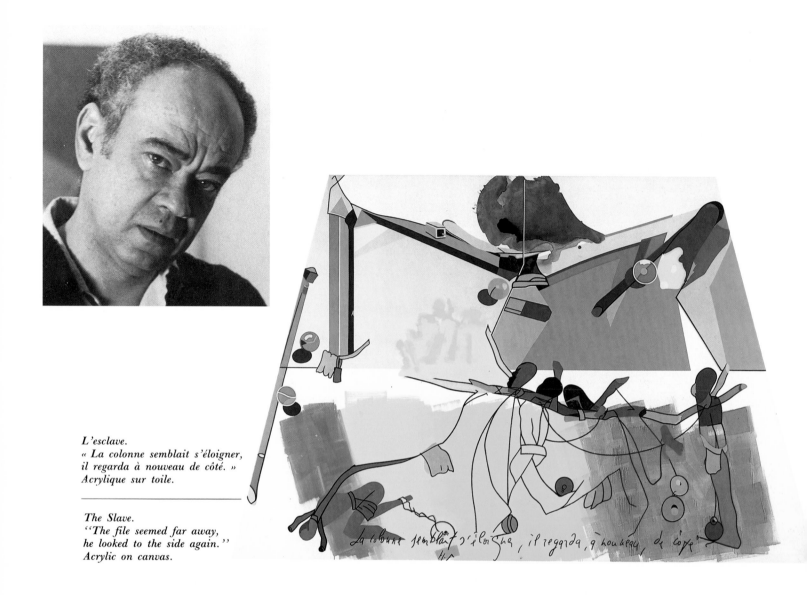

L'esclave.
« La colonne semblait s'éloigner,
il regarda à nouveau de côté. »
Acrylique sur toile.

_____

The Slave.
"The file seemed far away,
he looked to the side again."
Acrylic on canvas.

1937 - Né à Port-au-Prince, le 5 novembre.

De 1957 à 1960, il fait des études à l'Art Students' League de New York. Dès 1961, il s'installe en France et vit à Paris depuis cette époque.

Il y fait une carrière importante rompant avec l'expressionnisme abstrait américain « qui a échoué dans le stéréotype gestuel alors qu'il voulait ouvrir sur l'inconscient. »

De 1964 à 1980, il expose à Paris (galerie Mathias Fels), Londres, Rome, Milan, Turin, Barcelone, Hanovre, Washington, Zurich, Copenhague, Bruxelles, La Havane, à la biennale de Sao Paulo, à la biennale de Venise, à Berkeley, à Stockholm.

Son activité l'amène en 1972 à participer à « Douze ans d'art contemporain en France », à une rétrospective au musée d'Art moderne de la ville de Paris, et chez Renault : « Recherche Art et Industrie ». On ne compte plus ses expositions à travers les villes de France et du monde entier.

On peut difficilement dire de lui qu'il est un peintre haïtien, mais plutôt un Haïtien devenu peintre international, pétri de cette riche culture française qui lui a permis de faire exploser son talent.

1937 - Born November 5 in Port-au-Prince.

Télémaque studied at the Art Students' League in New York from 1957 to 1960. In 1961 he moved to France, living in Paris from that time on.

There he embarked on an important career, breaking with American abstract expressionism, _"which has foundered in stereotyped gestures where it hoped to break through to the unconscious."_ From 1964 to 1980 he exhibited in Paris (Mathias Fels Gallery), London, Rome, Milan, Turin, Barcelona, Hanover, Washington, Zurich, Copenhagen, Brussels, Havana, the São Paulo biennial, the Venice biennial, Berkeley and Stockholm.

In 1972 he took part in the exhibit _Twelve Years of Contemporary Art in France,_ had a restrospective at the Museum of Modern Art of the City of Paris and was shown in _Research in Art and Industry_ at Renault. His exhibits throughout France and the world are too numerous to list.

Télémaque cannot really be called a Haitian painter. He is rather a Haitian who has become an international painter, moulded by the rich culture of France which has allowed his talent to bloom.

Jacqueline NESTI

1932 - Née à Port-au-Prince.

Toute jeune, elle va à Paris poursuivre ses études au collège de Bouffémont. Elle se consacre ensuite à la peinture sous la direction de Georges Braque et de Claude Perset.
En 1952, pour des raisons de santé elle quitte Paris pour Davos où elle rencontre le dessinateur allemand Gérard Anfeld, avec lequel elle étudie l'anatomie durant deux ans.
Revenue en France, elle s'établit à Saint-Paul-de-Vence dans la maison de l'artiste Manfredo Borsi. Elle fait la connaissance de l'écrivain et critique André Verdet, du poète Jacques Prévert, des peintres Picasso, Chagall et Magnelli. En 1955, elle se rend au Mexique chez Diego Riviera qui devient son maître et ami. L'année suivante, elle revient en Haïti où elle peint, solitaire. Un intense travail lui fait créer des œuvres où elle montre des scènes de vie et la nature qui l'environne.
Elle reste pourtant en contact avec le monde artistique européen et en 1960 elle épouse le peintre anglais Victor Nesti. En 1965, à la suite de sa première exposition à Port-au-Prince, le département des Affaires étrangères la désigne pour représenter Haïti à la biennale de Venise. À partir de cette période, elle exerce son activité entre Haïti et l'Europe, plus particulièrement en Italie. Son œuvre figure dans des collections privées et publiques des deux continents.

1932 - Born in Port-au-Prince.

While quite young, Nesti came to Paris to study at Bouffémont College. She devoted herself to painting under the tutelage of Georges Braque and Claude Perset. In 1952, she left Paris for health reasons and travelled to Davos, where she met the German artist Gérard Anfeld, with whom she studied anatomy for two years. She returned to France and settled in the home of artist Manfredo Borsi in Saint-Paul-de-Vence. She made the acquaintance of author and critic André Verdet, poet Jacques Prévert and painters Picasso, Chagall and Magnelli. In 1955 she went to Mexico to meet Diego Riviera, who became her friend and teacher.
The following year Nesti returned to Haiti and painted alone. Through intensive work, she created paintings showing scenes of the life and nature which surrounded her. She remained in contact with the European art world and, in 1960, married British painter Victor Nesti. After her first exhibit in Port-au-Prince, the Department of Foreign Affairs named her to represent Haiti at the Venice biennial. From this period on, she pursued her career both in Haiti and in Europe, particularly Italy. Her work is in private and public collections on both continents.

Au marché. | *At the Market.*

Elsie HAAS

1952 - Née à Port-au-Prince, le 15 mai.

Très jeune (vers l'âge de huit ans), elle part en exil avec ses parents qui s'installent en Afrique (Togo, Ghana, Dahomey).
Après des études secondaires à Paris, elle découvre Haïti à l'âge de quinze ans. Consciente des problèmes sociaux et politiques de son pays elle entre en conflit avec sa famille.
De retour en France, elle se met à peindre un monde clos, gris et triste, mais un séjour dans la riante campagne française la conduit vers une peinture figurative et plus colorée.
A Paris, elle recherche sa terre natale à travers l'œuvre de Jacques Roumain, celle de Jacques Stephen-Alexis et les contacts avec les exilés haïtiens.
Alors vient pour elle cette période où, extraordinairement, à plus de huit mille kilomètres de ses racines, elle se met à « peindre haïtien », dans toute l'acception de ce terme. Des œuvres aux goûts de goyaves, de mangots, de cirouelles, des œuvres aux sons de tambours, aux chants de combites, qui font d'elle aujourd'hui, l'authentique disciple des grands créateurs haïtiens.

1952 - Born May 15 in Port-au-Prince.

She went into exile with her parents at the age of 8, when they settled in Africa (Togo, Ghana, Dahomey). After secondary studies in Paris, she rediscovered her native country at the age of 15. She felt overwhelmed by the acute social problems and uncomfortable with the atrocious misery brought about by a ferocious dictatorship. Rebelling against her environment and family, she went through a profound identity crisis and became completely withdrawn. Once back in France, she began painting a world that was closed-in, grey and sad, but a sojourn in the French countryside led her to change her approach and she began painting more colorful figurative canvases. In Paris, she rediscovered her native land through the work of Jacques Roumain, Jacques Stephen-Alexis, and her contact with Haitian exiles. So began this period in which, more than eight thousand kilometers from her roots, she started to "paint Haitian" in the truest sense of the words. These works with their taste of guava, mango, *cirouelle* and their sound of drums, of the singing in *combites,* which make her one of today's authentic disciples of the great Haitian painters.

L'artiste s'est beaucoup intéressée à la condition féminine en Haïti.

The artist was particularly concerned with the rights of women in Haiti.

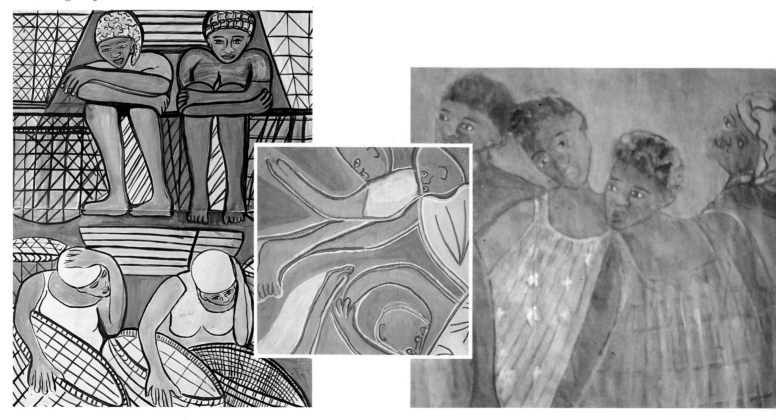

Raphaël DENIS

Né à Port-au-Prince.

En 1956, il commence à peindre au Foyer des arts plastiques.
En 1958, il rejoint la galerie Brochette et devient également membre de l'Association Diacoute. Ayant exposé à plusieurs reprises en Haïti, au Canada et aux États-Unis, il se fixe à New York où il travaille en liaison étroite avec Luckner Lazard.
Les sujets que traite Raphaël Denis sont tirés de la réalité haïtienne et ainsi que dit d'eux Michel-Philippe Lerebourg, « ils sont évidés, décantés, regardés comme de simples prétextes à des recherches purement esthétiques. »
« Malgré la rigueur et la subtilité de ce style, l'œuvre de Raphaël Denis regorge d'émotion. La vivacité des couleurs arrive mal à masquer l'angoisse, le désarroi qui imprègnent l'atmosphère jusqu'à la rendre étouffante à certains moments. »

Born in Port-au-Prince, he began painting at the Hall of Plastic Arts in 1956, then joined the Brochette Gallery and the Diacoute Association in 1958. After exhibiting in Haiti, Canada and the United States, he settled in New York, where he works closely with Luckner Lazard.
Raphaël Denis' subjects are drawn from Haitian reality and, as Michel-Philippe Lerebourg says of him, "they are emptied out, decanted, taken as a simple pretext for purely aesthetic exploration. In spite of the rigorousness and subtlety of his style, Rapaël Denis' work overflows with emotion. The vivacity of the colors cannot hide the anguish and desperation that fill the atmosphere, at times making it almost suffocating."

Face à face. | *Face to Face.*

Philomé Obin, la Cène.

Philomé Obin, The Last Supper.

Les fresques de l'église épiscopalienne Sainte-Trinité

C'est incontestablement le terme chef-d'œuvre qu'il convient d'employer pour évoquer les fresques de l'église épiscopalienne de Sainte-Trinité.

Cette œuvre collective fut réalisée grâce à l'initiative en 1947 de l'évêque Alfred Voegeli qui demanda à huit artistes dits « primitifs » de s'essayer à l'art de la fresque dans son église.

Il s'agissait de Rigaud Benoit, Castera Bazile, Wilson Bigaud, Philomé Obin, Gabriel Lévêque, Préfète Duffaut, Adam Léontus et Jasmin Joseph.

Les couleurs employées, l'expression des multiples personnages du peuple haïtien, les sensibilités diverses des artistes, tout contribue à faire de cet ensemble un sujet de surprise, d'émotion et d'émerveillement.

G.B.

198

Castera Bazile, Le Baptême du Christ. | *Castera Bazile, Baptism of Christ.*

Wilson Bigaud, Les Noces de Cana.

Wilson Bigaud, Wedding at Cana.

The frescoes in the Holy Trinity Episcopalian Church

Page suivante :
De gauche à droite :
Rigaud Benoit, Philomé Obin,
Castera Bazile.

Next page :
From left to right,
Rigaud Benoit, Philomé Obin,
Castera Bazile.

Without a doubt, "masterpiece" is the only word for the frescoes in the Holy Trinity Episcopalian Church.

This work was carried out in 1947 at the initiative of Bishop Alfred Voegeli, who asked eight "primitive" artists to try painting frescoes in his church.

They were Rigaud Benoit, Castera Bazile, Wilson Bigaud, Philomé Obin, Gabriel Lévêque, Préfète Duffaut, Adam Léontus and Jasmin Joseph.

The colors, the expressions on the faces of the characters, the painters' diverse sensitivities, all make for an ensemble that is as surprising as it is marvellous.

G.B.

199

Chronologie de l'Art haïtien

établie par Pierre Monosiet,
conservateur du Musée d'Art haïtien du collège Saint-Pierre de Port-au-Prince (1887-1970)
et Marie-José Nadal - Gardère *(1970-1986)*

1807-1818 : Henri Christophe encourage une certaine activité artistique pendant cette période.

1816-1818 : On sait que deux artistes anglais ont enseigné à l'Académie royale de Milot.

1816-1828 : À l'invitation d'Alexandre Pétion, l'artiste français Barincourt fonde une école d'art à Port-au-Prince.

1830-1860 : On sait que trente artistes haïtiens, dont certains avaient été formés en France, ont travaillé à Port-au-Prince et au Cap-Haïtien.

1850-1859 : L'empereur Soulouque fonde l'Académie impériale de dessin et de peinture à Port-au-Prince.

1863-1867 : Le président Geffrard crée une académie d'art à Port-au-Prince.

1880 : L'artiste haïtien Archibald Lochard ouvre une académie de peinture et de sculpture à Port-au-Prince.

1915 : Archibald Lochard et Normil Charles fondent une académie de peinture et de sculpture.

1930 : L'artiste américain William Scott travaille en Haïti et pousse Pétion Savain à peindre. Un groupe d'artistes se forme autour de lui, certains rejoindront plus tard le Centre d'Art.

1941 : Fondation du bureau et du musée d'Ethnologie de Port-au-Prince.

1943 : Dewitt Peters arrive en Haïti. Il prend contact avec Horace Ashton, directeur de l'Institut américano-haïtien, qui ouvre une section consacrée aux arts.

1944 : 24 février. Philomé Obin envoie au Centre d'Art sa première œuvre, *l'Arrivée du président Roosevelt au Cap-Haïtien.*
14 mai. Inauguration du Centre d'Art à Port-au-Prince par le président Élie Lescot.
Mai. Premier voyage de Wilfredo Lam en Haïti.

1945 : José Gomez Sicre, de passage à Port-au-Prince, propose à Dewitt Peters une exposition sur l'art moderne cubain.
Exposition de Carlos Henriquez au Centre d'Art.
Première exposition de Wilfredo Lam au Centre d'Art.
15 septembre. Ouverture d'une école d'art au Cap-Haïtien, sous la responsabilité de Philomé Obin et Hélène Schomberg.
Décembre. André Breton se rend en Haïti pour la première fois et visite le Centre d'Art. Il écrit dans *Surréalisme et Peinture* (1947), au sujet d'Hector Hyppolite.

1946 : Wilson Bigaud devient membre du Centre d'Art.
Exposition Jason Seley.

1947 : Exposition des peintres haïtiens à l'Unesco à Paris.
12 avril. Dewitt Peters reçoit l'ordre national d'Honneur et Mérite.
Exposition au Centre d'Art de Cundo Bermudez et Roberto Diago, de Jason Seley et de peintres modernes.

1948 : 13 février. André Breton visite le Centre d'Art pour la seconde fois. Il achète douze toiles d'Hector Hyppolite.
Mai. Jasmin Joseph rejoint le centre.
Juin. La fondation Rockefeller accorde une bourse d'études à trois artistes haïtiens.

Octobre. Le musée d'Art moderne de New York achète des œuvres de Philomé Obin et de Jacques-Enguerrand Gourgue.
L'artiste américain Alex John, travaillant en Haïti, encourage Robert Saint-Brice à peindre.
Mort de Hector Hyppolite.

1949 : Robert Saint-Brice et André Pierre rejoignent le Centre d'Art.
Visite de Jean-Paul Sartre.
Commande de fresques et de sculptures pour les stations du Chemin de Croix et le jubé de la cathédrale Sainte-Trinité à Port-au-Prince. Ce travail sera achevé en 1951.
Reproduction des fresques de la cathédrale épiscopale dans le *Times Magazine.*

1950 : Septembre. Un groupe de 50 artistes quitte le Centre d'Art et fonde le Foyer des arts plastiques.
Pierre Monosiet devient sous-directeur du Centre d'Art.
Exposition de Robert Wilson et Mary Coles au Centre d'Art.

1951 : Janvier. Le musée d'Art moderne de New York achète le *Meurtre dans la jungle* de Wilson Bigaud.
Reportage important de William (Bill) Krauss sur la peinture haïtienne dans *Holiday Magazine.*
L'hôtel Oloffson et M. Roger Coster jouent un grand rôle dans la promotion de l'art haïtien.
Philomé Obin exécute deux peintures murales pour la cathédrale Sainte-Trinité : *la Cène* et *la Crucifixion.*

1953 : Août. Antonio Joseph reçoit la première bourse Guggenheim accordée à un artiste haïtien.

1954 : Février. Joseph Hirshorn visite le Centre d'Art.

1955 : Juin. Bourmond Byron entre au Centre d'Art.

1956 : Fondation du Club Brochette et de la Galerie Brochette avec Luckner Lazard, Antonio Joseph, Tiga, Néhemy Jean, Rose-Marie Desruisseau.
Grande exposition de groupe à la Galerie Brochette.

1957 : Ouverture de la galerie d'art Issa El Saieh pour représenter les artistes du Foyer des arts plastiques.
Viviane de Buren, artiste peintre suisse, s'installe en Haïti.

1958 : Ouverture de la galerie Red Carpet à Pétionville.
Ouverture de la galerie Georges Nader.
Fondation de l'Académie des Beaux-Arts avec Armerigo Montagutelli (professeur italien). Booz, Hilda Williams, Simil, Hector, Rose-Marie Desruisseau, etc., y ont également enseigné.

1959 : Gérard Valcin, Bernard Séjourné, Antoine Obin et Pierre-Joseph Valcin arrivent au Centre d'Art.
Fondation de l'Académie des Beaux-Arts à Port-au-Prince.
Tiga fonde le premier musée de Céramique.
Concours ONTRP à l'hôtel Beau Rivage.
Inauguration de la Galerie Carlo Mevs par une exposition consacrée à Sacha Tebo.

1960 : Décembre. Salnave Philippe-Auguste rejoint le Centre d'Art.
Exposition de groupe à la Biennale de São Paulo (Brésil).

Ouverture de la galerie Carlos à Port-au-Prince.
Exécution d'une peinture murale au Parc des Palmistes, à la Cité de l'Exposition, par Bernard Wah, Georges Hector, Paul Beauvoir, René Exumé et Wilson Jolicœur.

1962 : Inauguration de Calfou, centre artistique.
Création de la section d'art du collège Saint-Pierre à Port-au-Prince.
Inauguration du Musée d'art haïtien du collège Saint-Pierre.

1963 : Naissance du groupe « Les Jeunes Peintres » avec une exposition consacrée aux onze femmes peintres d'Haïti, à l'Alliance française.
Fondation de Calfou I avec Claudie et Tania Maximilien, Yves Morailles, Bernard Wah, Gigi Wah, Néhemy Jean, Bernard Séjourné et Davertige.

1964 : Première exposition de Jean-Claude Rigaud à la faculté des sciences d'Haïti.
Calfou II fait suite à Calfou I et connaît un réel succès.
Exposition de Claudie Maximilien et de Bernard Séjourné.

1965 : Lors du concours du Salon Esso des jeunes peintres haïtiens à l'Institut haïtiano-américain, Marie-José Nadal-Gardère obtient le 2e prix pour sa peinture *l'Oiseau noir*.
Exposition « Les jeunes peintres » à l'Institut français.
Mai. La Howard University de Washington présente l'exposition « The Haitian Ceramics ». Y participent : Tiga, Patrick Vilaire et Yolande Étienne, Frido et Hilda Williams.
Mort de Castera Bazile.

1966 : Festival mondial des arts nègres à Dakar (Sénégal).
Mort de Dewitt Peters après une longue maladie.
Création du Musée d'Art haïtien du collège Saint-Pierre.
Ouverture de la Galerie Monnin à Port-au-Prince.
À la mort de Dewitt Peters, le Nouveau Centre d'Art fut dirigé par Francine Murat et Antonio Joseph.

1967 : L'exposition « Trajectoire I » est organisée par Georges Hector à l'Alliance française d'Haïti.

1969 : Exposition au Brooklyn Museum de New York.
Exposition de groupe : « Image d'Haïti ».
Carifiesta, exposition caraïbéenne à Kingston (Jamaïque).
Néhemy Jean crée « L'Atelier » pour exposer l'art moderne et donner des cours d'art aux jeunes artistes.
Exposition à Oxford et à la Hayward Gallery de Londres, organisée par Kurt Backman.

1970 : La galerie Del Aiete, La Feluca à Rome, le musée d'Auxerre, l'ORTF en France et le Museum Owald Dortmund présentent des expositions d'art haïtien.
Ouverture de la Jerusalem Art Gallery à Port-au-Prince.
Mort de Xavier Amiama (artiste dominicain).
Mai. Pose de la première pierre du nouveau Musée d'Art haïtien du collège Saint-Pierre de Port-au-Prince.

1972 : 11 mai. Inauguration du Musée d'Art haïtien du collège Saint-Pierre, dans son nouveau bâtiment du Champ-de-Mars à Port-au-Prince.
Première exposition de Saint-Soleil au Musée d'Art haïtien.
Mort de Paul Beauvoir.
Exposition de Luce Turnier à l'Institut français d'Haïti.
Début de Saint-Soleil avec Tiga et Maud.

1973 : Mort de Robert Saint-Brice.
Mort de Pétion Savain.
Exposition commémorative du deuxième anniversaire du Musée d'Art haïtien du collège Saint-Pierre.

1974 : Exposition à la Galerie Hervé-Méhu à Pétionville.
Exposition de Saint-Soleil à l'Institut français d'Haïti.

1975 : Festival La Cigoane à Soisson, la montagne de Saint-Soleil.

Exposition aux Bellas Artes de Mexico.
Ouverture de La Petite Galerie de Marie-José Nadal-Gardère et Rona Thébaud.

1976 : Concours autour du thème « Gouverneurs de la rosée » à la Galerie Nader à Port-au-Prince.
Philomé Obin reçoit la haute distinction « Honneur et Mérite » d'Haïti.
Exposition en hommage à Léopold Sédar Senghor, au Musée d'Art haïtien, lors du séjour de celui-ci en Haïti.
Première exposition, à l'Institut français d'Haïti, de Jean-Claude Legagneur.

1977 : Exposition de groupe organisée par l'Anah au Salon Dante Aligheri.
Inauguration de la galerie Marassa à Pétionville.
Exposition « Souffle d'Haïti » de Sheila Isham au Musée d'Art haïtien.
Exposition de Lyonel Laurenceau à la Galerie Nader.
Visite d'André Malraux à Port-au-Prince et à Saint-Soleil.

1978 : Exposition à Toukouleur (nouveau Centre d'Art).
160 peintures et sculptures haïtiennes sont exposées au Brooklyn Museum de New York.
Concours Fondev (Musée d'Art haïtien).

1979 : 16 mars. Exposition de Bernard Wah au Musée d'Art haïtien sur le thème « Le retour à l'arbre II ».
Exposition à Paris (France), au musée de l'Homme du Palais de Chaillot, organisée par la galerie Monnin.

1981 : Exposition sur le thème « Patrimoine culturel », organisée par l'Unesco à Paris.
Mort de Camy Rocher, Célestin Faustin et Bernard Wah.

1982 : Mars. Exposition de John Colt et Ruth Kjaer au Musée d'Art haïtien.

1983 : Juillet. L'École nationale des arts (ENARTS) est ouverte.
Inauguration de l'Institut national haïtien de la culture et des arts (INAHCA) à Port-au-Prince.
L'ambassadeur de France remet à Pierre Monosiet les Palmes académiques de chancelier, pour une vie passée au service de l'art haïtien.
Mort de Pierre Monosiet.

1984 : Mai. Exposition pour le 40e anniversaire du Centre d'Art.
Exposition des œuvres des fondateurs.
Exposition au Musée d'Art haïtien : « Quand les peintres dessinent ».
Eye Care expose à Washington.
Fondation de l'Association des artistes afro-américains.

1985 : Décembre. Exposition au Musée d'Art haïtien des œuvres de Patrick Vilaire : « Sculptures et dessins ».
12 décembre. Exposition de Valcin II à l'Institut français d'Haïti et à « Fleur Soleil ».
13 décembre. La Galerie Marassa présente sa trente-troisième exposition avec les œuvres de Gesner Armand, Sacha Tebo et Alix Roy.
Lois Maïlou Jones Pierre-Noël et Vergniaud Pierre-Noël au Musée d'Art haïtien.
La Galerie Monnin participe à une exposition au Café de la Paix, à Paris.
Exposition à la Galerie Marassa de l'UBP (Paris).
Mort de Descollines Manès, de Fabolon Blaise et de Saint-Pierre Toussaint.
Mort de Daniel Taggart. (Avec sa femme Ginette, il a fait connaître les tapisseries artistiques d'Haïti).
Mort de Max Pinchinat à Paris.

Chronology of Haitian Art

set up by Pierre Monosiet,
Curator of the Museum of Haitian Art Saint Peter's College in Port-au-Prince (1887-1970)
and Marie-José Nadal-Gardère *(1970-1986)*

1807-1818 : Henri Christophe encouraged some artistic activity during this period.

1816-1818 : Two English artists are known to have taught at the Royal Academy of Milot.

1816-1828 : Invited by Alexandre Pétion, the French artist Barincourt founded an art school in Port-au-Prince.

1830-1860 : Thirty Haitian artists, some of them trained in France, were at work in Port-au-Prince and Cap-Haïtien.

1850-1859 : Emperor Soulouque founded The Imperial Academy of Drawing and Painting in Port-au-Prince.

1863-1867 : President Geffrard created an art academy in Port-au-Prince.

1880 : The Haitian artist Archibald Lochard opened an academy for painting and sculpture in Port-au-Prince.

1915 : Archibald Lochard and Normil Charles founded an academy for painting and sculpture.

1930 : The American artist William Scott was working in Haiti and encouraged Pétion Savain to paint.
A group of artists forms around him, some later join the Art Center.

1941 : Founding of the Bureau and the Museum of Ethnology in Port-au-Prince.

1943 : Dewitt Peters arrives in Haiti. Contacts Horace Ashton, Director of the American-Haitian Institute, who opens an arts section.

1944 : On the **24th of February,** Philomé Obin sent his first work as a member to the Art Center, *The arrival of President Roosevelt in Cap-Haïtien.*
On the **14th of May,** President Elie Lescot inaugurated the Art Center in Port-au-Prince.
In **May:** First trip by Wilfredo Lam to Haiti.

1945 : José Gomez Sicre proposed an exhibit on modern Cuban art to Dewitt Peters.   This exhibit was a real success.
Exhibit by the Cuban Carlos Henriquez at Art Center.
First exhibit of the Cuban Wilfredo Lam at Art Center.
The **15th of September,** an Art School was opened in Cap-Haïtien under the direction of Philomé Obin and Hélène Schomberg.
In December, André Breton came to Haiti for the first time and visited the Art Center.   He wrote about Hector Hyppolite in *Surréalisme et Peinture* (1947).

1946 : Wilson Bigaud joined the Art Center.
Exhibit by Jason Seley.

1947 : Exhibit of Haitian Painters at Unesco in Paris.
On the **12th of April,** Dewitt Peters received the National Order of Honor and Merit.
Exhibit by Cundo Bermudez, Roberto Diago, Jason Seley and modern painters at Art Center.

1948 : On the **13th of February,** André Breton visited the Art Center for the second time and bought twelve canvases by Hector Hyppolite.
In **May,** Jasmin Joseph joined the Center.

In **June,** the Rockefeller Foundation awarded study grants to three Haitian artists.
In **October,** the Museum of Modern Art in New York bought works by Philomé Obin and Jacques Enguerrand-Gourgue.
During a stay in Haiti, the American artist Alex John encouraged Robert Saint-Brice to paint.
Hector Hyppolite died.

1949 : Robert Saint-Brice and André Pierre joined the Center.
Jean-Paul Sartre visited the Center.
Order for the frescoes and sculptures for the Stations of the Cross and the choir rood-screen in Holy Trinity Cathedral in Port-au-Prince.   This work was to be finished in 1951.
Copy of the frescoes of the Episcopalian Cathedral in the *Times Magazine.*

1950 : In **September,** a group of fifty artists left the Center and founded the Foyer des Arts Plastiques.
Pierre Monosiet became Assistant Director of the Art Center.
Exhibit by Robert Wilson and Mary Coles at the Art Center.

1951 : In **January,** the Museum of Modern Art in New York bought *Murder in the Jungle* by Wilson Bigaud.
William (Bill) Krauss wrote an important article on Haitian painting in *Holiday Magazine.*
The Oloffson Hotel and Mr. Roger Coster took a large part in promoting Haitian art.
Philomé Obin painted two murals for the Holy Trinity Cathedral, *The Last Supper* and *The Crucifixion.*

1953 : In **August** Antonio Joseph received the first Guggenheim grant to be awarded to a Haitian artist.

1954 : In **February,** Joseph Hirshorn visited the Art Center.

1955 : In **June,** Bourmond Byron joined the Center.

1956 : Foundation of the Club Brochette and the Galerie Brochette with Luckner Lazard, Antonio Joseph, Tiga, Néhemy Jean, Rose-Marie Desruisseau.
There was a large group exhibit at the Galerie Brochette.

1957 : The Issa El Saieh Gallery was opened to show work by the artists from the Foyer des Arts Plastiques.
Viviane de Buren, a Swiss painter, settled in Haiti.

1958 : Opening of the Red Carpet Gallery in Pétionville.
Opening of the Georges Nader Gallery.
Foundation of the Académie des Beaux-Arts with an Italian professor, Armerigo Montagutelli.   Booz, Hilda Williams, Simil, Hector, Rose-Marie Desruisseau and others also taught there.

1959 : Gérard Valcin, Bernard Séjourné, Antoine Obin and Pierre-Joseph Valcin came to the Art Center.
Foundation of the Fine Arts Academy in Port-au-Prince.
Tiga founded the first ceramics museum.
The ONTRP Contest at the Beau Rivage Hotel.
Inauguration of the Carlo Mevs Gallery with an exhibit of the works of Sacha Tebo.

1960 : In **December,** Salnave Philippe-Auguste joined the Art Center.
Group exhibit at the Biennial in São Paulo, Brazil.

Opening of the Carlos Gallery in Port-au-Prince.
A mural in the Parc des Palmistes, Cité de l'Exposition, by Bernard Wah, Georges Hector, Paul Beauvoir, René Exumé and Wilson Jolicœur.

1962 : Opening of "Calfou" Art Center.
Creation of the Art Department in Saint Peter's College in Port-au-Prince. Inauguration of the Museum of Haitian Art at Saint Peter's College.

1963 : The birth of the group « Les Jeunes Peintres » with an exhibit at the Alliance française devoted to the work of eleven Haitian women painters.
The foundation of Calfou I with Claudie and Tania Maximilien, Yves Morailles, Bernard Wah, Gigi Wah, Néhemy Jean, Bernard Séjourné and Davertige.

1964 : First exhibit by Jean-Claude Rigaud at the Science Faculty in Haiti.
Calfou II followed Calfou I and had a real success.
Exhibit by Claudie Maximilien and Bernard Séjourné.

1965 : At the Esso Salon Contest for young Haitian painters in the Haitian-American Institute, Marie-José Nadal-Gardère received the 2nd Prize for ther painting *l'Oiseau noir*.
Exhibit "Les Jeunes Peintres" at the French Institute.
In May, Howard University in Washington presented the exhibit "Haitian Ceramics" with Tiga, Patrick Vilaire, Yolande Étienne, Frido and Hilda Williams.
Castera Bazile died.

1966 : "World Festival of Black Art" in Dakar, Senegal.
Dewitt Peters died after a long illness.
The Museum for Haitian Art was created in Saint Peter's College.
Galerie Monnin was opened in Port-au-Prince.
After the death of Dewitt Peters, the New Art Center was directed by Francine Murat and Antonio Joseph.

1967 : The exhibit "Trajectoire" organised by Georges Hector at the Alliance française of Haiti.

1969 : Exhibit at the Brooklyn Museum of New York.
Group exhibit called "Image of Haiti".
Carifiesta, the Caribbean Exhibit in Kingston, Jamaica.
Néhemy Jean created "L'Atelier" to exhibit modern art and provide art courses to young artists.
An exhibit was held in Oxford and at the Hayward Gallery in London organized by Kurt Backman.

1970 : Haitian Art exhibits were held at the Galerie Del Aiete, the La Feluca in Rome, the Museum of Auxerre, the ORTF in France and the Owald Dortmund Museum.
Opening of the Jerusalem Art Gallery in Port-au-Prince.
Death of the Dominican artist, Xavier Amiama.
The cornerstone was laid in May for the new Museum for Haitian Art in Saint Peter's College in Port-au-Prince.

1972 : On the **11th of May,** the Museum for Haitian Art in Saint Peter's College was inaugurated in new buildings on the Champ-de-Mars in Port-au-Prince.
The first exhibit of Saint Soleil in the Museum for Haitian Art.
Death of Paul Beauvoir.
Exhibit by Luce Turnier at the French Institute of Haiti.
Beginning of Saint Soleil with Tiga and Maud.

1973 : Death of Robert Saint-Brice and Pétion Savain.
Commemorative exhibit for the second anniversary of the Museum for Haitian Art of Saint Peter's College.

1974 : Exhibit at the Hervé Méhu Gallery in Pétionville.
The Saint Soleil exhibit in the French Institute of Haiti.

1975 : The "La Cigoane" Festival in Soisson, the Saint Soleil mountain.
Exhibit at the Bellas Artes in Mexico.
Opening of La Petite Galerie by Marie-José Nadal-Gardère and Rona Thébaud.

1976 : Competition on the theme "Governor of the Dew" at the Nader Gallery in Port-au-Prince.
Philomé Obin received the distinction of the Order of Honor and Merit of Haiti.
Exhibit in hommage to Léopold Sédar Senghor at the Museum for Haitian Art on the occasion of his visit to Haiti.
First exhibit at the French Institute of Haiti by Jean-Claude Legagneur.

1977 : Group exhibit organized by the Anah in the Dante Alighieri Salon.
Inauguration of the Galerie Marassa in Piétionville.
The "Souffle d'Haïti" exhibit by Sheila Isham at the Museum for Haitian Art.
Exhibit by Lyonel Laurenceau at the Nader Gallery.
Visit by André Malraux to Port-au-Prince and Saint Soleil.

1978 : Exhibit at Toukouleur, New Art Center.
160 Haitian paintings and sculptures were on exhibit in the Brooklyn Museum in New York.
The Fondev Competition, Museum for Haitian Art.

1979 : On the **16th of March,** exhibit by Bernard Wah at the Museum for Haitian Art on the theme "Return to the Tree II".
Exhibit in Paris, France, at the Musée de l'Homme in the Palais de Chaillot.

1981 : Exhibit on the theme "Cultural Heritage" organized by Unesco in Paris.
Death of Camy Rocher, Célestin Faustin and Bernard Wah.

1982 : In **March,** exhibit by John Colt and Ruth Kjaer at the Museum for Haitian Art.

1983 : Opening in July of the École Nationale des Arts (ENARTS).
Inauguration of the Haitian National Institute for Culture and Art (INAHCA) in Port-au-Prince.
The French Ambassador presented Pierre Monosiet with the "Palmes Académiques" for Chancellor in honor of a life spent in the service of Haitian Art. Pierre Monosiet died in the same year.

1984 : Exhibit in **May** for the 40th anniversary of the Art Center with a special showing of the founders' works.
Exhibit at the Museum for Haitian Art entitled "When Painters Draw".
Eye Care exhibit in Washington, D.C.
Foundation of the Association of Afro-American Artists.

1985 : Exhibit in **December** of the works of Patrick Vilaire, "Sculpture and Drawing", at the Museum for Haitian Art.
Also in **December,** the Marassa Gallery presented its 33rd exhibit with the works of Gesner Armand, Sacha Tebo and Alix Roy, while Valcin II exhibited at the French Institute of Haiti and at Fleur Soleil.
Lois Maïlou Jones Pierre-Noël and Vergniaud Pierre-Noël at the Museum for Haitian Art.
The Monnin Gallery participated in an exhibit in the Café de la Paix in Paris.
Exhibit at Marassa Gallery of the UBP (Paris).
Death of Descollines Manès, Fabolon Blaise, Saint-Pierre Toussaint, Daniel Taggart (who with his wife Ginette was the great promoter of artistic tapisseries from Haiti) as well as of Max Pinchinat in Paris.

Liste des peintres haïtiens/List of haitian painters

A

ABÉLARD Gesner
ABÉLARD Willy
AGÉNOR Jocelyn
AGNANT Léon
ALEXIS Gérald
ALIX Gabriel
ALLEN Ralph
ALMONOR Jean-Claude
ALMONOR Occide
ALMONOR Volvick
ALPHONSE Fritzner
ALTIDOR Michel-Ange
AMBROISE Hector
AMBROISE Jackson
AMIAMA Xavier
ANACRÉON Wilson
ANATOLE Charles
ANTOINE Montas
ARMAND Gesner
ARMAND Lominy
AUBIN Barbara
AUGUSTE Benito
AUGUSTE Clervaux
AUGUSTE Georges
AUGUSTE Toussaint
AUGUSTIN Evans Pierre
AUGUSTIN Gérard
AUGUSTIN Pierre-Joseph
AUSTIN Alfred
AUSTIN Wilfrid, dit Frido
AVRIL Forest

B

BABER Alice
BANCE Léon
BAREAU Alcide
BARTHE Josiane
BARUK Moro
BASQUIAT Jean-Michel
BATRONY Frida
BAUSSAN Tamara
BAZILE Alberoi
BAZILE Castera
BEAUVOIR Paul
BELIZAIRE Anthony
BELLAVOIX Jean-Claude
BELLEGRADE Georges W.
BENJAMIN Mario L.
BENOIT Castelneau V.
BENOIT Rigaud
BENOIT Rigaud fils
BERHMANN Judith Holt
BERMUDEZ Cundo
BERNARD Alexandre
BIEN-AIMÉ Charlemagne
BIEN-AIMÉ Gabriel
BIGAUD Wilson
BLAIN Roland
BLAISE André
BLAISE Fabolon
BLAISE Saint-Louis
BLAISE Serge Moléon
BLANC Gabriel
BLANCHARD Sisson
BLANCHARD Smith
BLONCOURT Gérald
BLONCOURT Noémie
  Clainville
BONNET Fritz
BOOZ Ludovic
BORNO Maurice

BOTTELO-BARROS Angel
BOTTEX Jean-Baptiste
BOTTEX Seymour Étienne
BOUCARD André
BOUCARD Jacqueline
BOURCICAULT Pierre
BOURCIQUOT Jean-David
BRÉSIL Henri-Robert
BRICOURT Sylvio
BRIERRE Edgar
BRIERRE Micheline
BRIERRE Murat
BROWN Douglas
BRUDENT Michael
BRYOCHÉ Félix
BUREN Viviane (de)
BYRON Bourmond

C

CADET Dieujuste
CADET Willner
CALFEE William
CALMANN-LÉVY Génia
CAMEAU Rameau
CAMEAU Yves
CANTAVE Joseph-Pierre-
  Antoine
CANTON Benjamin
CARREÑO Mario
CARPI Cioni
CASIMIR Laurent
CASTERA Jean-Claude
CASTERA Rachel
CAYEMITTE Minium
CÉDOR Dieudonné
CÉLIDON Yveson
CHAPOTEAU Ralph
CHARLEMAGNE John
CHARLES Ernst-Jean
CHARLES Edzer
CHARLES Fritz
CHARLES Normil
CHARLES Valito
CHARLES Willy
CHAVANNES Étienne
CHENÊT Germaine
CHENÊT Jean
CHÉRY Jacques-Richard
CHÉRY Jean-Baptiste
CHIAPPINI Jean
CHIKEL Ludger
CHRISTOPHE Osmin M.
CHRISTOPHE Roger
CLAIRSAINT Fériol
CLITANDRE Pierre-André
COACHY Jean Eliud
COACHY Jean Richard
COLES Marie
COLSON Jaimé
COLT John
COULANGE Jean
COUPAUD Raymond
CROSSLEY Henrique
  (Croshen)
CYPRIEN Anatole
CYPRIEN Marthe

D

DAGUILHE T.
DALÉUS Wilfried

DAMAS Édouard
DAMAS Fritz
DAMBREVILLE Claude
DARTIGUENAVE Lilian Bordes
DAY Marie-Denyse
DÉCILIEN William
DÉCIMUS Carlo
DEETJEN Rony-Joseph,
dit Dekeen
DEFOURNOY Jean-Félix,
dit Arfelix
DEJÉAN Guy
DEJOIE Thimoléon
DELNATUS Jean-Baptiste
DELPÊCHE Nicolas
DELSOIN Sterne
DENIS Raphaël
DENIS Villard, dit Darvertige
DÉPAS Spencer
DEPREZ Cyrill
DERENONCOURT Antoine
DERENONCOURT Jean-
  Ménard
DERENONCOURT Lionel
DÉROSE Artz
DÉROSIER Colo
DÉROSIER Mathilde
DÉROSIER Max
DESINCE Jacques
DÉSIR Guy
DESMANGLES Paul
DESNOYERS Daniel
DESROCHES Numa
DESROSIERS Jacques
DESROSIERS Milthiade
DESRUISSEAU Rose-Marie
DIEGO Roberto
DIMANCHE André
DIMANCHE Pierre
DODARD Philippe
DOMINIQUE François-
  Lemercier
DOMINIQUE Gérard
DOMINIQUE Lytz
DOMOND Ezène
DOMOND Urie
DOMOND Wilmino
DORCE Jacques
DORCELY Nicole
DORCELY Raymond
DORCELY Roland
DORCIN Guy
DORLÉANS Raymond
DOSTALY Aïda
DOSTALY Emmanuel
DOUCET Rita
DOUGLAS Aaron
DREUX Nicolas
DUBELLAY Schiller
DUBIC Abner
DUBIC Anitude
DUBIC Jean
DUBIC Joseph-Felder
DUBIC Ossey
DUBREUIL Henri
DUCASSE Gervais Emmanuel
DUCHEINE Fritz
DUFFAUT Alix
DUFFAUT Préfète
DUFFAUT Prégo
DUFRANC Charles
DUJOUR Alfred
DUPÉRIER Joubert
DUPÉRIER Odilon
DUPOUX Georges
DUPOUX Raoul
DUPUY Georges
DUROCHER Gontran
DUROSEAU Joseph

DUTHIERS Lamothe
DUVAL Théo
DUVAL-CARRIÉ Édouard
DUVERGER Julio
DUVIVIER Raymond

E

EDGER Jean-Baptiste
EDUGÈNE Félix
EDUGÈNE Pierre
ÉMILE Denis
ÉMILE Fritzner
ÉMILE Nicolas
EMMANUEL Carline
EMMANUEL Frantz
EMMANUEL Hubert
ENGLAND Paul
ENGUERRAND-GOURGUE
  Jacques
ESTIVÈNE Jean-L.
ÉTHÉART Marie-Claude
ÉTIENNE Arnold
ÉTIENNE B. Roland
ÉTIENNE Franck
ÉTIENNE Georges
ÉTIENNE Gomez
ÉTIENNE Grégoire
ÉTIENNE Jean-Bernard
ÉTIENNE Yolande
EWALD Frantz
EWALD Max
EXIL Levoy
EXUMÉ Raynald
EXUMÉ René
EYMA Ernic
EYMA Henri

F

FABIEN Mario-Martin
FABIO Marie-Josseline
FATAL Joseph
FAUSTIN Célestin
FÉLIX Lafortune
FILS-AIMÉ Willer
FOMBRUN Gérard
FOMBRUN Louis
FOMBRUN Maria
FRANÇOIS Edgar
FRANÇOIS Michel
FRANÇOIS Raphaël
FRANÇOIS Roger
FRANKLIN Kesnel
FRISCH Paulette

G

GABRIEL Jacques
GALIANO André
GARÇON Jacquelin
GARDÈRE Marie-José
  (NADAL-)
GARDÈRE Paul-Claude
GAROUTE Jean-Claude, dit
  Tiga
GASPARD Frantz
GAUTIER Joël

GAY Serge
GEORGES Gérard
GEORGES Guy
GÉRARD Calixte
GERBIER Max
GÉRELUS Léon
GESLIN Jacques
GIORDANI Michelet
GIRAULT Carl
GIRAULT Éric
GISOU Lamothe
GODEFROY Ricardo
GOLDMAN Albert
GOLDMAN Édouard
GONDRÉ François
GOURGUE Decourcelle
GOUSSE Marie-Claude
GRACIA Joseph
GRANDCHAMP Yvon
GRÉGOIRE Alexandre
GRUNDER Ginette
GUÉRIN Élisabeth
GUERRE Maurice
GUILLIOD Jayme
GUILLIOT Jean

H

HAAS Elsie
HANN John
HART John Francis
HECTOR Emil-Paul
HECTOR Erick-Paul
HECTOR Georges
HENRI Calixte
HENRIQUEZ Carlos
HENRY Jean-Claude
HENRY Mérius
HERMANTIN Gaston
HOLLANT Édith
HYPPOLITE Gérard
HYPPOLITE Hector

I

ILANTAS A.
ISHAM Sheila
ISMAËL Saincilius
ISMÉUS Desrivières
IVIQUEL Valentin

J

JACOB Joseph
JACQUES Fritz
JACQUES Harry, dit Arijac
JEAN Edner
JEAN Édouard
JEAN Eugène
JEAN Félix
JEAN Françoise
JEAN Georges
JEAN Hervé
JEAN Jean-Baptiste
JEAN Julio
JEAN Néhemy
JEAN Yanik
JEAN-BAPTISTE Edgar

JEAN-BAPTISTE Edner
JEAN-BART Kesnel
JEAN-CHARLES Ernst
JEAN-CHARLES Jean-Robert
JEAN-CLAUDE Martha
JEAN-GILLES Joseph
JEAN-JACQUES Carlo
JEAN-LOUIS Éric
JEAN-LOUIS Henri
JEAN-PIERRE Yvon
JEROME Jean-René
JOACHIM Guy
JOHN Alex
JOLICŒUR Emmanuel
JOLICŒUR Wilson
JOLIMEAU Serge
JOSÉ Hilomé
JOSEPH Antonio
JOSEPH Casimir
JOSEPH Édouard-Fritz,
  dit Jef
JOSEPH Fritz D.
JOSEPH Jasmin
JOSEPH Nacius
JOSEPH Pierre
JOSEPH Raymond
JUSTE Janvier Louis
JUSTE Joseph Louis

K

KEEN Paul
KLONIS Bernard

L

LABBÉ Mécène
LAFAILLE Raymond
LAFOND Emmanuel
LAFONTANT André
LAFONTANT Daniel
LAFONTANT Émile
LAFONTANT Prosper
LAFONTANT Yves
LAFOREST Wesner
LAFORESTERIE Edmond
LAFORTUNE Daniel
LAHENS Gérard
LAM Wilfredo
LAMOTHE Fritz
LAMOTHE Gisou
LAMOUR Fritzner
LAMOUR D. J.
LAPIERRE Léon
LARATTE Frantz
LARATTE Georges
LAROCHE Jacques
LAROSE Ilégène
LAROSE Monique
LATES Jean-Georges
LATORTUE Franklin
LATORTUE Marie-Claude
LATORTUE Philton
LAURENCEAU Jean-Léon
LAURENCEAU Lyonel
LAURENT Ernst
LAURENT Joseph Jean
LAURENT Peterson
LAZARD Luckner
LÉANDRE Jean
LEBRETON Hervé
LEDAIN Gaston
LEFORT Émmanuel
LEGAGNEUR Jean-Claude
LEMOINE Claude
LÉONIDAS Rony
LÉONTUS Adam
LERICH Ginette Désir

LERICHE Penius
LÉVÊQUE Gabriel
LIAUTAUD Gaël
LIAUTAUD Georges
LOCHARD Archibald
LOCHARD Colbert
LOCHARD Garry
LORVANA Pierrot
LOUINÈS Verèttes
LOUIS Ernst-Jean
LOUIS Errol
LOUIS Juste Cerisier
LOUIS Juste Janvier
LOUIS Juste Joseph
LOUIS Wilfried
LOUISSAINT Franck
LOUISSAINT Jean-Claude
LOUIZOR Ernst
LOUIZOR Fritz
LOUIZOR Guerda

M

MALEBRANCHE Andrée
MALEBRANCHE Elzire
MANÈS Descollines
MANGONÈS Albert
MANGONÈS Monique
MANUEL Henri
MANUEL Lauraine
MANUEL Michèle
MARCELIN Errol
MARCELIN Fénol
MARCELIN Reynold
MARKHAM Kyra
MATHURIN Christiane
  (LAFONTANT-)
MARTINEZ Florence
MAXIMILIEN Claudie
MAXIMILIEN Tania
MENTOR Louinès
MERCERON Henri
MÉRÉLUS Louisimond
MÉRISE Frédérick
MERISE Fritz
MÉRISIER Emmanuel
MÉRISIER Jacques
MÉRISIER Mortès
MÉSIDOR Philippe
MEVS Ronald
MEWS Ghislaine
MICHAUD Yves
MICHEL Siméon
MICHEL Yves
MOÏSE Eddy
MOLLENTHIEL Hilaire
MONNIN Michel
MONPREMIER Madsen
MONOSIET Pierre
MONTAGUTELLI Amerigo
MOREAU Sully
MORTIMER Abner
MUCIUS Abraham
MÜLLER César
MULTIDOR Frantz

N

NARROW Elisabeth
NASSIEF Gilda Thébaud
NAUDÉ Andrée Georges
NAVAL André
NEMOURS Paul
NEMOURS Vincent
NESTI Jacqueline
NORMIL André
NORMIL Hervé
NOOZ

O

OBAS Charles
OBIN Antoine
OBIN Claude
OBIN Donald
OBIN Harrison
OBIN Henri-Claude
OBIN Jean-Marie
OBIN Michaëlle
OBIN Michel
OBIN Othon
OBIN Philomé
OBIN Sénèque
OBIN Sully
OBIN Télémaque
OLIVIER Gérard
OLIVIER Raymond
ORÉLUS Daniel
ORIOL Frantz

P

PAILLAN Rémy
PAILLÈRE Pierre
PALANQUET Roland
PARAISON Francis
PARIS Robal
PARISOT Rév. Jean
PASCAL André J. G.
PAUL Damien
PAUL Gérard
PAUL Manno
PÉRICLÈS Jean-Baptiste
PÉROU Frida
PETERS Dewitt
PETERSEN Rév. James
PETIT Clara
PHANOR Yves
PHILDOR Prosper
PHILIPPE-AUGUSTE Robert
PHILIPPE-AUGUSTE Salnave
PHIPPS-VILLEDROUIN
  Marilène
PHIPPS Viviane
PIERRE André
PIERRE Antoine
PIERRE Fernand
PIERRE Frédéric
PIERRE René
PIERRE Sonny
PIERRE Vierge
PIERRE Willy
PIERRE Wilner
PIERRE-AUGUSTINE Evans
PIERRE-CANEL Pierre
PIERRE-CHARLES Emmanuel
PIERRE-LOUIS Immacula
PIERRE-LOUIS Prosper
PIERRE-LOUIS Raymond
PIERRE-LOUIS Wesner
PIERRE-NOËL Lois Maïlou
  (JONES)
PIERRE-NOËL Louis
  Vergniaud
PIERRETTE Emmanuel
PINCHINAT Max
PLACID Henock
PLUVIOSE Dieudonné
POINTDUJOUR Ronel
POINTDUJOUR Serge
POINTJOUR Fontenel
POISSON Louverture
POLYCARPE Jérôme
POMAYRAC Lamy
PONCE Fidelio
PORTOCARRERO René
POUX Lucie
PRADEL F.
PRESSOIR Charles C.

PRESTON Édouard
PRÉZUMÉ Frantz
PRÉVAL Guerdy
PRÉVAL Michel
PRÉVIL Emmanuel
PRÉZEAU Micheline
PRICE Lucien
PRINCIVIL Yvon
PROPHIL Jonas

R

RAMEAU Cameau
RAMSEY
RAVEAU Marcel
RAYMOND Dorléans
REMPONEAU Géo
RÉSERVE Guy
REVINCHAL
RIGAUD Albert
RIGAUD Jean-Claude
RIGAUD Louis
ROBBART Maude Gerdes
ROBUSTE Frank
ROBUSTE Jean-Claude
ROCHER Camy
ROCIT Ignacio
ROCOURT Gérald
ROCK Fritz
ROKER Samuel
ROSEMOND Louis
ROUANEZ Dieudonné
ROUANEZ Henry
ROUZIER David
ROY Alix
ROY-MASON Marie Florence

S

SAIEH Georges
SAINT-AUDE Camille
SAINT-BRICE Robert
SAINT-CROIX Jean-Claude
SAINT-ÉLOI Lionel
SAINT-FLEUR Jean
SAINT-FLEURANT Louisianne
SAINT-HILAIRE Phoenix
SAINT-HUBERT Edner
SAINT-HUBERT Jacques
SAINT-JEAN Fritz
SAINT-PIERRE Toussaint
SAINT-ROME Claude
SAINT-VIL Emmanuel
SAINT-VIL Michel
SAINT-VIL Murat
SALEM
SAN MILAN Katia
SAN MILAN Roger
SANON Jeannet
SANON Kern
SANON Roosevelt
SAÜL Audes
SAÜL Charles
SAVAIN Pétion
SCHUTT Laetitia
SCHOMBERG Hélène
SCORDILLIS Achille A.
SÉJOURNÉ Bernard
SELEY Jason
SÉMÉRAND Galland
SÉNATUS Dominique
SÉNATUS Jean-Louis
SÉNATUS Jean-Vernet
SÉVÈRE Jean-Claude
SICRE José Gomez
SIMIL Emilcar
SIMONIS
SMITH Denis
SINVIL Michel

STÉPHANE Micius
SULLY Jacques
SUPPLICE Daniel
SURIN Raphaël
SURPRIS Raymond
SYLVAIN Bien-Aimé

T

TAGGART Daniel et Ginette
TANIS Paul
TÉLÉMAQUE Hervé
TELESFORT Francisco
TELFORT Poitevien
TESSEROT Camille
THÉARD Carol
THÉARD Jean-Pierre
THÉBAUD Sacha, dit Tébo
THERMIDOR Buffon
THOBY-MARCELIN Philippe,
  dit Phito
THOMAS Rodolphe
THOMAS Roger
TORCHON Camille
TOUSSAINT Saint-Pierre
TURNIER Luce

V

VALBRUN Jacques
VALCIN Favrange, dit
  Valcin II
VALCIN Fritz
VALCIN Gérard
VALCIN Olrich
VALCIN Pierre-Joseph
VALENTIN Jean-Michel
VANCE David
VENDEGIES Marie-Thérèse de
VASSOR Louis
VERDIER Jean-Claude
VERGIN Denis
VERNET Élie
VERSAINT Hernot
VIARD Raoul
VIEUX Philippe
VILAIRE Patrick
VINCENT Alexis
VINCENT Joseph
VINCENT René
VITAL Diecilius
VITAL Maurice
VITAL Pauléus
VIXAMAR Raynald
VOLCY Jean-Dominique
VORBE Larco
VOYARD Sylvain

W

WAH Bernard
WAH Edgard
WAH Edouard
WAH Ghislaine (MEVS)
WAH Jean-Marcel
WAH Marcel K.
WAH Patrick-Gérald
WEISZ Betty
WEYNAND Édith
WIENER Freddy
WILLIAMS Hilda
WILNER Edner
WILNER Jean Jr.
WILSON Robert, dit Bob
WOLLEY Yves

Remerciements/Acknowledgements

Que tous ceux qui ont rendu ce livre possible
par leurs encouragements et leurs précieux conseils,
soient ici remerciés :

We wish to thank all those
whose encouragement and advice
have made this book possible:

Gesner ARMAND, directeur du musée du collège Saint-Pierre

Gérald ALEXIS, du musée MUPANA • Elsa ARMAND • LINA ASSAD

Gérard AUBOURG • Tamara BAUSSAN • Béatrice CHAUVEL

Sabrina CHAUVET • Arthur COAR du musée de Détroit

Philippe DODARD • Max EWALD • Michèle FRISCH

Wilhem FRISCH • Geneviève et Didier GARDÈRE

Michel GARDÈRE • Michèle et Pierre-Yves GARDÈRE

Monseigneur GARNIER • Cosette GRIFFIN • Georges HECTOR

Néhemy JEAN • Loïs Maïlou JONES PIERRE-NOËL

Antonio JOSEPH • Monique LAMBERT • Chantal de LANGAIGNE

Le général Franck LAVAUD • Jean-Claude LEGAGNEUR

Michel-Philippe LEREBOURG • Andrée MALEBRANCHE

Albert MANGONÈS • Michèle MANUEL • Geneviève McINTOSH

Raymond et Adeline MÈNOS • Michel MONNIN de la galerie MONNIN

Fabien MORAVIA • Lilyanne MORAVIA • Francine MURAT, directrice du Centre d'Art

La Galerie NADER • Elisabeth NARROW • Andrée G. NAUDÉ

Jacqueline NESTI-JOSEPH • Max PINCHINAT • Issa El SAÏEH de la galerie ISSA

Jean SAMBOURG • Bernard SÉJOURNÉ • Hervé TÉLÉMAQUE

Jean-Pierre THÉART de la galerie THÉART • Sacha THÉBAUD

Luce TURNIER • Martine UZAN • Patrick VILAIRE

Jacinthe ZÉPHIR de la galerie TROIS-VISAGES

Ainsi que tous les collectionneurs
qui nous ont autorisés à photographier leurs tableaux
et les nombreux collaborateurs
qui nous ont permis de réaliser cet ouvrage.

As well as all the collectors
who let us photograph their paintings
and the help of many others who made our work a reality.

Nous tenons à remercier particulièrement ici, Jean GUÉRY, photographe — nous devrions dire pour être plus exact : « homme d'images » — grâce auquel ce livre a pu être réalisé avec tant de qualité quant à la précision des reproductions des tableaux.

Né à Port-au-Prince, le 4 février 1930, il jouit d'une grande notoriété dans les secteurs audio-visuels d'Haïti, notamment en tant que réalisateur de télévision.

Cette indispensable contribution méritait d'être spécialement soulignée.

We wish to express our particular gratitude to Jean GUÉRY, photographer—a true ''Man of pictures''—thanks to whom the reproductions of the art works in this book are of such excellence.

Born in Port-au-Prince the four of February, 1930, he is highly respected in the Haitian audio-visual field, particularly as a television director.

He undertook the greatest part of the photographs presented in this book and his role in its completion has been indispensable.

ACHEVÉ D'IMPRIMER
SUR LES PRESSES DE L'IMPRIMERIE
JOMBART-KAPP-LAHURE
A ÉVREUX
SOUS LE N° 6158
LE 18 NOVEMBRE 1986
NUMÉRO D'ÉDITEUR D 38764 I
(A.A.C.VII) E.D.
IMPRIMÉ EN FRANCE